De la persuasion

Étude du Gorgias de Platon

De la persuasion

Étude du Gorgias de Platon

Marie-Germaine Guiomar
Professeure de philosophie
Cégep de Sherbrooke

avec la collaboration
de Danielle Terzan et d'Étienne Rouillard
professeurs de philosophie
Cégep de Sherbrooke

ÉDITIONS DU RENOUVEAU PÉDAGOGIQUE INC.

5757, RUE CYPIHOT, SAINT-LAURENT (QUÉBEC) H4S 1R3
TÉLÉPHONE: (514) 334-2690   TÉLÉCOPIEUR: (514) 334-4720
erpidlm@erpi.com   w w w . e r p i . c o m

Développement de produits: Isabelle de la Barrière
Supervision éditoriale: Sylvain Bournival
Révision linguistique: Jean Roy
Correction des épreuves: Marie-Claude Rochon
Recherche iconographique: Chantal Bordeleau

Direction artistique: Hélène Cousineau
Supervision de la production: Muriel Normand
Conception et réalisation de la couverture: Alibi Acapella
Infographie: Édiflex inc.

Sources des images:
Couverture (lampe): Bernard Chaput; *page VII (Platon):* akg-images;
page VIII (Socrate): akg-images/Electa.

APPROCHE
PHILOSOPHIQUE

*Du bonheur – Étude de l'*Éthique à Nicomaque *d'Aristote,*
Laurent Giroux et Natacha Giroux, 2003.

De la justice – Étude d'un traité de Plutarque,
Rodrigue Bergeron et François Lavergne, 2003.

De la prudence – Étude du Charmide *de Platon,*
Laurent Giroux et Natacha Giroux, 2002.

De la beauté – Étude du Grand Hippias *de Platon,*
Rodrigue Bergeron et François Lavergne, 2001.

Dépôt légal – Bibliothèque et Archives nationales du Québec, 2007
Dépôt légal – Bibliothèque et Archives Canada, 2007
Imprimé au Canada

ISBN 978-2-7613-2194-5

1234567890 AGMV 0987
20419 ABCD   OF10

Avant-propos

Le texte du *Gorgias* présenté ici a été établi à partir de la traduction de Léon Robin. Elle a été suivie pas à pas, mais nous en avons enlevé les répétitions et en avons simplifié la syntaxe et le vocabulaire. Cette vulgarisation, dont nous sommes bien conscients qu'elle élimine des caractéristiques essentielles du style et de la méthode platonicienne, n'a d'autre justification que de rendre quelques idées-force du dialogue accessibles aux étudiants du premier cours de philosophie du cégep, dans l'esprit d'une approche dynamique et, osons le dire, ludique, pour les élèves et pour le professeur.

L'objectif n'est donc pas de proposer une étude approfondie du *Gorgias* et de l'œuvre de Platon, de son contexte historique ou de sa place dans l'histoire de la philosophie. Il s'agit, plus modestement, d'y découvrir quelques grands thèmes philosophiques et d'en souligner l'actualité. En particulier, nous nous intéresserons aux liens existant entre la critique platonicienne de la rhétorique et les usages actuels de la « communication ». En effet, à une époque où les persuasions publicitaires, les discours politiques, juridiques, voire éducatifs, font vendre des personnes, des idées et des produits pour leur « image », sans souci réel de la justesse des propos ni de la justice des finalités, il est pertinent de s'interroger sur la forme et sur les enjeux de ces discours : s'agit-il de paraître, d'avoir, d'être, de savoir, de croire ?

Posons d'emblée que l'adaptation d'un classique comme le *Gorgias* représente un peu, comme toute traduction, une trahison, notamment aux yeux des puristes, mais qu'elle peut transmettre aux autres, professeurs de cégep et débutants, l'esprit de l'œuvre, à défaut de la lettre. Notre expérience de pédagogues nous a appris que cette version familière du *Gorgias* en facilite l'appropriation, car elle a été conçue et mise à l'épreuve pour et par des étudiants qui se frottent à la philosophie, et pour certains à la lecture d'un texte philosophique, pour la première fois de leur vie. Les professeurs qui en ont fait l'expérience savent que l'étude d'une traduction intégrale du *Gorgias* est parfois si difficile que l'esprit de l'œuvre leur échappe.

Cette adaptation est destinée à une pédagogie active caractérisée par la pratique de la lecture à voix haute et par l'interaction continuelle entre le professeur, le texte et la classe. Notre but a été de prendre en compte ce que les étudiants peuvent apprendre et comprendre plus que ce que le professeur peut leur donner, car nous misons sur la collaboration des étudiants et non sur l'usage exclusif de l'exposé magistral. Nous avons pu constater que le dialogue théâtralisé facilite la prise de parole des étudiants et surtout qu'il les aide à percevoir des rapports entre notre civilisation de la communication et l'antique civilisation de l'oralité : c'est ainsi que les étudiants peuvent prendre conscience de la pérennité des grands thèmes et par conséquent de leur actualité. L'appropriation du *Gorgias*, telle que nous l'avons conçue, doit servir à apprendre à « philosopher » et pas seulement à apprendre l'histoire de la philosophie. Enfin, la répétition des lectures peut aider à développer une intuition de l'approche philosophique de Platon, à certains égards si expérimentale et si fluide, comme l'est toute pensée qui se construit dans la progression de la spirale dialectique, dans la subtilité des recherches de définition, dans les détours qui éloignent du sujet et y reviennent, dans les argumentations et les doutes – l'esprit du texte donc.

Cette édition strictement scolaire du *Gorgias* est accompagnée d'explications et d'une bibliographie élémentaire, qui ne peuvent, en aucun cas, remplacer l'apport du professeur. Des notes de bas de page présentent aussi, en italique, des questions de compréhension, d'application des objectifs du cours, d'appropriation et d'actualisation. Ces questions sont basées sur les objectifs formels du premier cours de philosophie et visent la maîtrise de la formulation de définition et de développement de concepts, le dépistage des contradictions, l'étude des analogies, des sophismes et des argumentations. Enfin, sur le plan des contenus philosophiques, la richesse du *Gorgias* offre le cadre d'une initiation aux grands thèmes de la philosophie, dont certains annoncent les thèmes des deux autres cours de philosophie obligatoires au collégial : la langue et la manipulation des idées, l'esprit et le corps, la recherche du bonheur, la justice et la loi, le pouvoir et la politique, les crimes et les châtiments, l'éducation et, enfin, la mort.

Certains étudiants aimeront à coup sûr l'étude de la philosophie ; à ceux-là nous disons d'aller plus loin et de lire une édition intégrale du *Gorgias* (et d'autres œuvres des philosophes !) ; après ce premier exercice, ils ne seront plus désorientés par le choc que constitue la rencontre avec la pensée d'un maître. D'autres auront acquis un vernis de culture générale, comme en acquéraient les élèves des sophistes à leur contact. Enfin, aux rares étudiants qui donnent peu de temps et d'effort à l'étude, nous souhaitons que le premier cours de philosophie ne leur laisse pas le souvenir d'une déception et l'opinion que « la philo, c'est "platte" ! ».

Platon et le *Gorgias*

Platon (env. 427-347 av. J.-C.) est sans nul doute le philosophe le plus célèbre de la tradition occidentale. Certains commentateurs vont même jusqu'à considérer que tous les penseurs qui l'ont suivi n'ont fait que des variations sur les thèmes qu'il a étudiés. Aristocrate de naissance, il fut fasciné par la politique, à une époque marquée par les guerres, les changements de régimes politiques et de gouvernements[1] et les troubles sociaux. L'enseignement de Socrate, puis sa mort, l'influencèrent profondément. Il voyagea et fut deux fois conseiller auprès de chefs d'État étrangers, mais sa vie fut essentiellement consacrée à écrire et à enseigner dans l'école qu'il fonda, l'« Académie ».

---

1. Guerres, défaites, victoires et alliances, succession de gouvernements démocratiques, tyranniques, aristocratiques : tel est le contexte dans lequel les militaires perdaient de l'influence au profit des politiques et des rhéteurs.

Platon

Son œuvre considérable traite de multiples sujets, dont l'actualité n'est pas à démontrer et qu'on peut organiser selon deux axes : la justice dans l'État, donc la politique, et la justice dans la vie, donc les vertus[2]. La plupart des livres de Platon sont des dialogues où Socrate expose ses idées, au point qu'il est impossible de distinguer l'enseignement du maître de celui de l'élève. Les spécialistes d'histoire de la philosophie ont subdivisé l'œuvre de Platon selon les périodes de sa vie. Le *Gorgias* est classé parfois dans les œuvres de jeunesse, parfois dans les œuvres de maturité.

La philosophie platonicienne fonde l'idéalisme, qui est une conception philosophique selon laquelle les idées ont plus de réalité que les apparences perçues par les sens. Cette doctrine est à la source du rationalisme, dont nous sommes les héritiers.

La méthode de Platon est riche et complexe. Elle fait intervenir des questions, qui restent parfois sans réponse[3]. Elle propose une argumentation qui progresse par la recherche de définitions et la subdivision des idées (le bien est-il l'utile, le plaisir ou la valeur ?), par la critique des incohérences[4], et enfin par le recours à des analogies et à des mythes.

À l'époque de Platon, la rhétorique, soit l'art de la persuasion, était enseignée, pratiquée et politiquement utile. Rien ne nous interdit de faire le rapprochement entre ce succès et la popularité actuelle de la philosophie du langage et de la communication sous toutes ses formes, personnelles et médiatiques. Si Platon s'est tant préoccupé de la rhétorique, dans le *Gorgias* et dans les autres dialogues où il met en scène les sophistes qui l'enseignent, c'est qu'il reproche aux orateurs, comme à leurs maîtres, leur indifférence à la vertu. Selon Platon, ils feignent d'enseigner la vertu, alors que leur fonction devrait être d'éduquer les citoyens au pouvoir de la parole. La rhétorique, dans la mesure où elle est une contrefaçon du savoir, de la justice et de la politique, doit être dénoncée.

Le *Gorgias* peut se diviser en cinq « actes » en fonction de l'interaction des personnages et des thèmes traités. Le fil conducteur de la progression dramatique est la recherche de la vérité. Dans le prologue (acte 1), on présente les personnages. L'acte 2 est constitué par un dialogue de Socrate avec Gorgias dans lequel on propose une définition critique de la rhétorique et on introduit le thème de la justice. La discussion se poursuit (acte 3) par un dialogue de Socrate avec Pôlos, qui présente l'opposition entre la conception commune de la justice et celle de Socrate ainsi qu'une introduction aux thèmes du pouvoir et du

---

2. La vertu antique est la valeur, la vaillance et l'énergie. Elle n'a rien de l'humilité de la vertu chrétienne.
3. Le doute philosophique appliqué à un problème sans solution s'appelle une aporie.
4. La méthode de Platon est la dialectique ; elle se caractérise par la progression du dialogue qui passe des opinions du sens commun issues de la perception par les sens aux idées pures et abstraites que seule l'intelligence peut percevoir.

bonheur. Socrate discute ensuite avec Calliclès (acte 4) deux conceptions irréductiblement opposées de la justice et de la politique. Finalement, le dialogue se transforme en monologue (acte 5) portant sur le mythe du jugement des morts qui boucle la « spirale dialectique » : il est question de justice, de pouvoir et de bonheur comme de thèmes éternels de la condition humaine.

À chaque étape de la discussion, Socrate pousse un peu plus ses interlocuteurs à remettre en question leurs idées communes (opinions fausses ou vraies) et à saisir l'urgence de vérité. Et à chaque moment, ses interlocuteurs illustrent les différentes facettes de l'opinion : Gorgias est l'expert célèbre, un peu suffisant, très compétent, mais plutôt indifférent à la vertu. Pôlos, agressif et habile, est un arriviste qui admet que les lois sont nécessaires. Mais, comme il est dénué de scrupules, il soutient que, personnellement, tous les moyens sont bons pour s'y soustraire. Calliclès, type même de l'ambitieux cynique et violent, croit en un naturalisme féroce. Socrate, enfin, s'oppose à tous, car, à travers la discussion sur la rhétorique, ce qu'il cherche à cerner, c'est un fondement qui la déborde, à savoir la nature de l'action juste, des crimes et des châtiments, du pouvoir défini par la loi de la force et de son contraire, la force de la loi, et enfin du rapport éthique nécessaire entre la justice dans l'État et la vie juste. Dans le dernier acte du dialogue, les arguments rationnels ayant été exposés, Socrate raconte le mythe du jugement des morts, montrant ainsi que, dans sa pensée, dialectique et mythe, savoir et croire sont en harmonie.

Socrate

Socrate naquit vers 470 av. J.-C. et mourut en 399 av. J.-C., à Athènes, condamné à la peine de mort à la suite d'un des procès les plus célèbres de l'Histoire[5]. Philosophe fondateur de la philosophie occidentale, bien qu'il n'ait rien écrit lui-même, il eut Platon pour élève, à qui il fit une grande impression, notamment par son style brillant et libre et par sa rigueur morale. C'est essentiellement grâce à Platon que ce personnage légendaire, laid et provocant, nous est connu[6].

La vie des citoyens athéniens comportait des obligations militaires et politiques auxquelles Socrate se soumit de bon gré. Marié et père de trois enfants, il fut peut-être sculpteur ou tailleur de pierre comme son père. Bon vivant et grand causeur, il vécut très modestement, bien qu'il ait compté, parmi ses disciples, plusieurs jeunes gens riches et puissants.

Socrate

---

5. Dans *L'Apologie de Socrate*, Platon présente la plaidoirie de Socrate, dans le *Criton*, l'acceptation de sa sentence et, dans le *Phédon*, sa mort.
6. Dans *Le Banquet*, Platon en fait un portrait superbe. On le connaît aussi par Xénophon, par Diogène Laerce, dont la présentation est saisissante de vie, et par Aristophane, qui le tourne en dérision dans *Les Nuées*.

Socrate était un sophiste à sa manière, puisqu'il enseignait publiquement à qui voulait l'entendre, mais, à l'inverse des sophistes professionnels, il le faisait gratuitement. Sa méthode d'enseignement était basée sur une remise en question constante des idées reçues en vue de formuler des définitions devant permettre de saisir ce que sont les choses, leur « essence ». Il aimait répéter la phrase « je sais que je ne sais rien », conscient de la distance entre l'opinion et le savoir, ce qui lui devait sa réputation du plus sage des Athéniens. Socrate considérait qu'il « accouchait » les esprits, à l'instar de sa mère, une sage-femme[7]. Parlant avec grande aisance, il savait manier l'ironie[8] pour « réveiller » ses interlocuteurs qui se contentaient d'opinions non fondées et laissaient dormir leur conscience. Ses interrogations fondent deux grandes catégories du doute philosophique : Que pouvons-nous savoir vraiment ? Comment mener une vie juste ? Cette dernière question problématique résume la préoccupation morale, pour lui la seule vraiment importante.

Sa grande conscience morale l'opposait nécessairement à ses interlocuteurs, qu'un certain laxisme éthique ne dérangeait pas. La très haute idée qu'il se faisait de la vertu – de la justice, notamment – était sujette à soulever les protestations, de même que certains de ses principes, par exemple « Il vaut mieux subir l'injustice que la commettre », « Si on a mal agi, il vaut mieux subir son châtiment qu'y échapper », ou encore « Nul n'est méchant volontairement ». À la suite d'une cabale, il dut subir un procès dont l'issue fut sa condamnation à mort, ce qui contribua à immortaliser sa mémoire.

Modèle du sage par excellence, Socrate[9] a popularisé le principe, gravé au fronton du temple de Delphes, « Connais-toi toi même ». Socrate définissait ce principe, qui a traversé l'Histoire occidentale jusqu'à nos jours, comme une réflexion sur les vies exemplaires et sur la sienne propre.

---

7. La maïeutique est l'« art d'accoucher les esprits » : enseigner, ce n'est pas « remplir une cruche », mais aider la pensée à se clarifier elle-même.
8. *Définir « ironie »*. L'ironie socratique est célèbre ; elle est typique de sa méthode d'enquête.
9. L'adjectif « socratique » dérive de Socrate. Platon est la racine des adjectifs « platonicien » (qualifiant les idées, l'œuvre et l'influence du philosophe) et « platonique » (appliqué à des relations amicales ou amoureuses purement intellectuelles).

Table des matières

LES CINQ PERSONNAGES DU DIALOGUE

SOCRATE : Il mène le dialogue sur un ton passionné, interrogateur, critique, ironique. Il utilise les points faibles et les incohérences de ses interlocuteurs pour orienter la discussion. Il utilise des analogies pour se faire comprendre et énonce des principes forts pour fonder ses démonstrations.

GORGIAS : Sophiste célèbre, il est en visite à Athènes où il prononce des conférences et dispense des leçons très coûteuses. Il incarne un nouveau type d'enseignant. Sûr de lui et talentueux, il accepte cependant de remettre sa capacité d'enseigner la justice en question.

CALLICLÈS : Ce n'est pas un sophiste, mais l'hôte de Gorgias. Ce personnage agressif est peut-être un personnage de composition, inspiré de contemporains puissants, célèbres et avides de pouvoir. Proche du Thrasymaque de la *République*, il incarne les orgueilleux et les ambitieux qui méprisent les faibles et les philosophes.

PÔLOS : Jeune rhéteur d'origine étrangère, ses répliques sont empreintes de vivacité. Il considère que la vie ne vaut pas d'être vécue, s'il faut toujours se plier aux exigences de la justice. D'où son manque de scrupules et un certain cynisme hypocrite qui s'affirme par son désir de s'emparer du pouvoir et de sauver les apparences[10].

CHÉRÉPHON : Ami de jeunesse et admirateur inconditionnel de Socrate.

---

10. Athènes était une cité cosmopolite où beaucoup d'étrangers véhiculaient des idées nouvelles. On peut comparer cette réalité au multiculturalisme contemporain.

Gorgias
ou *De la rhétorique*[11]

dialogue de Platon

PROLOGUE

[447][12]

1 CALLICLÈS. Il faut prendre part à la guerre et au combat, comme tu le fais toi-même Socrate!

SOCRATE. Eh! Mais! Est-ce que nous arrivons après la fête?

CALLICLÈS. Oui! Après une belle fête! Gorgias vient de nous faire une belle confé-
5 rence[13]!

SOCRATE. C'est la faute de Chéréphon, si nous sommes en retard! Il nous a fait traîner à l'Agora[14].

CHÉRÉPHON. Pas de problème, Socrate! Je vais réparer l'erreur. Gorgias est mon ami et il va sûrement accepter de nous refaire sa conférence. Alors: maintenant ou une autre
10 fois?

CALLICLÈS. Quoi? Crois-tu, Chéréphon, que Socrate a envie d'entendre Gorgias?

CHÉRÉPHON. Mais oui! C'était même notre intention, en venant ici!

CALLICLÈS. Alors, venez chez moi. Gorgias y demeure et il vous y donnera sa conférence.

SOCRATE. Bonne affaire! Est-ce qu'on ne pourrait pas se contenter d'une simple con-
15 versation avec lui? J'aimerais savoir ce qu'il enseigne. Sa conférence, il nous la fera une autre fois.

CALLICLÈS. Rien de plus simple que de le lui demander, Socrate! D'ailleurs, dans sa conférence, il a parlé de son art[15] et il a invité les gens à le questionner. Il a dit qu'il répondrait à tous.

20 SOCRATE. Alors, demande-le-lui, toi, Chéréphon.

CHÉRÉPHON. Que faut-il lui demander?

SOCRATE. Demande-lui ce qu'il est.

CHÉRÉPHON. Qu'est-ce que tu veux dire?

---

11. « Art oratoire » et « rhétorique » désignent l'art des discours, l'habileté à parler, la persuasion et, par extension, la communication.

12. Nous reproduisons entre crochets la « pagination » classique du texte de Platon, sans les subdivisions, afin de permettre au lecteur intéressé de retrouver les mêmes passages dans une autre traduction.

13. La culture athénienne valorisait beaucoup l'expression orale: poésie, tragédie, comédie, récits mythiques, musique et chansons. Les concours et les conférences attiraient le public. La vie politique exigeait des orateurs capables de faire des discours et de soutenir des joutes argumentatives.

14. Sur l'Agora, ou place publique, se tenaient le marché et l'Assemblée du peuple. Centre de l'espace urbain, les hommes s'y rassemblaient, alors que le foyer, espace privé, était le domaine des femmes. On y discutait les affaires communes et les décisions à prendre. Plus qu'une simple « place », elle était le lieu d'appartenance à la Cité et la condition de la vie politique: le débat public, l'argumentation et la rationalisation de la vie sociale y sont nés. *Quelles sont les « agoras » dans votre environnement?*

15. « Art » est un concept complexe dérivé du latin *ars*, traduction du grec *technè*; l'art désigne donc la technique, l'habileté, le savoir-faire (comme dans « artisan »), ou la création et la recherche du beau. *Quel est le sens d'« art » dans ce contexte?*

SOCRATE. Eh bien! S'il fait des chaussures, il dira: « Je suis cordonnier[16]. » Comprends-tu mieux ce que je veux dire?

CHÉRÉPHON. J'ai compris! Dis, Gorgias, est-ce vrai que tu vas répondre à toutes les questions? [448]

GORGIAS. Oui, c'est la vérité, Chéréphon. C'est exactement ce que j'ai dit tout à l'heure. D'ailleurs, depuis des années, jamais une question ne m'a pris au dépourvu.

CHÉRÉPHON. Alors, tu n'auras pas de peine à me répondre!

PÔLOS. Par Zeus[17]! Que Chéréphon commence par m'interroger, moi, car Gorgias doit être à bout de souffle, après tout ce qu'il a dit tout à l'heure!

CHÉRÉPHON. Qu'est-ce que tu veux dire Pôlos? Tu penses que tu répondras mieux que Gorgias?

PÔLOS. Qu'est-ce que ça fait? Pourvu que je réponde comme il faut!

CHÉRÉPHON. Rien du tout! Bon, alors réponds: si Gorgias était savant dans le même art que son frère Hérodicos, comment appellerait-on sa science? La nommerait-on comme la sienne?

PÔLOS. Absolument!

CHÉRÉPHON. Donc, si on disait «médecin», ce serait bien? S'il avait la même science que Aristophon, quel nom pourrait-on lui donner?

PÔLOS. Peintre[18], c'est clair!

CHÉRÉPHON. Et maintenant, dis-moi, quel est l'art de Gorgias? Quel est son nom légitime?

PÔLOS. Chéréphon, écoute-moi bien! Il existe une foule d'arts découverts par expérience, car c'est par l'expérience que notre existence suit méthodiquement sa route. Sinon, on va à l'aventure. Les hommes ont chacun leur art et les meilleurs hommes pratiquent le meilleur art. C'est le cas de Gorgias. Son métier est le plus beau des métiers!

SOCRATE. Magnifique! Pôlos parle bien, comme Gorgias! Mais tu ne tiens pas la promesse faite à Chéréphon!

GORGIAS. Comment, au juste Socrate?

SOCRATE. Pour moi, il est évident que Pôlos n'a pas répondu à la question!

GORGIAS. Eh bien! Interroge-le toi-même si tu veux!

SOCRATE. Non! C'est toi que j'aimerais mieux interroger. Pôlos s'est pratiqué à la parole, mais pas à la conversation[19]!

PÔLOS. Pourquoi dis-tu cela Socrate?

---

16. L'analogie dérive de l'idée pythagoricienne de proportion. Elle établit des rapports entre le concret et la pensée, notamment entre les métiers techniques (*techné* ou savoir-faire) et la pensée (savoir). Les artisans produisent des objets utiles ou beaux et Socrate cherche à produire du savoir qui doit aussi être utile; c'est pourquoi le dialogue sur la rhétorique porte sur ce qui est juste, car si les techniques servent à dominer la matière, la rhétorique, elle, est un outil de domination politique.

17. Zeus, dieu de l'Olympe et du ciel, tient l'éclair qui illumine l'intelligence humaine et l'ouvre à la vérité. L'exclamation « par Zeus » peut évoquer l'autorité et le désir de tirer les choses au clair.

18. Le cordonnier, le médecin et le peintre illustrent les trois groupes d'arts, selon Platon: art de fabrication, d'utilisation et d'imitation. *La rhétorique est-elle utile au même titre que ces métiers?*

19. *Pourquoi cette distinction entre « parole » et « conversation »?*

SOCRATE. Parce que Chéréphon te demande le métier de Gorgias et toi tu réponds en chantant sa gloire, comme si tu avais été attaqué, mais tu ne dis pas en quoi Gorgias, au juste, est savant.

60 PÔLOS. Est-ce que je ne lui ai pas dit que son art était le plus beau de tous ? [449]

LE DÉBAT S'ENGAGE ENTRE GORGIAS ET SOCRATE

SOCRATE. Si ! Je te crois ! Mais personne ne t'a demandé ses qualités, on t'a juste demandé comment s'appelle sa science et quel nom on peut donner à Gorgias. Ou plutôt, Gorgias, dis-nous donc toi-même comment on peut t'appeler, d'après tes connaissances.
GORGIAS. Mon art, Socrate, c'est l'art oratoire.

65 SOCRATE. Alors, faut-il t'appeler « orateur » ?
GORGIAS. Bon orateur, même, si tu souhaites ! C'est ce que je me flatte d'être !
SOCRATE. Mais je le souhaite ! Peux-tu aussi former d'autres orateurs ?
GORGIAS. Certainement ! Non seulement ailleurs, mais ici même, chez vous !
SOCRATE. Eh bien alors, Gorgias ! Veux-tu continuer à discuter avec nous, comme en

70 ce moment, et qu'on remette à plus tard les longs discours, du genre de celui de Pôlos ? Mais il faut que tu tiennes ta promesse et que tu répondes brièvement aux questions qu'on te pose[20].
GORGIAS. J'essaierai d'être bref, mais parfois il n'est pas possible de faire autrement que de donner de longues réponses. D'ailleurs, c'est un de mes talents, de savoir mieux que

75 personne faire court.
SOCRATE. C'est exactement ce dont nous avons besoin, Gorgias ! Donne-moi la démonstration de ce talent : brièveté de parole ! Et garde les longs discours pour une autre fois !
GORGIAS. Eh bien ! C'est ce que je vais faire ! Tu n'auras jamais entendu personne parler plus bref !

QU'EST-CE QUE LA RHÉTORIQUE ?

80 SOCRATE. Allons-y ! Tu dis que tu es savant en rhétorique et que tu peux enseigner à être orateur. Mais quel est précisément l'objet de l'art oratoire ? Comme, par exemple, le tissage a pour objet la confection des vêtements.
GORGIAS. Oui.
SOCRATE. Par Hêra[21] ! Gorgias, j'admire ta réponse, il est impossible d'être plus bref !

85 Allons ! Réponds-moi de la même façon : à quoi se rapporte donc la connaissance de l'art oratoire ?

---

20. Socrate et les sophistes appréciaient la discussion philosophique faite de questions et de réponses (éristique) où Socrate « accouchait » l'esprit (maïeutique).

21. Hêra (ou Téléia, « qui apporte la satisfaction »), déesse, sœur et épouse de Zeus. L'exclamation de Socrate peut symboliser sa satisfaction.

GORGIAS. Aux discours !

SOCRATE. Quelle sorte de discours, Gorgias ? Est-ce qu'ils portent sur les régimes qu'on donne aux malades pour qu'ils se portent bien ?

90 GORGIAS. Non.

SOCRATE. Donc, ce ne sont pas tous les discours qui se rapportent à la rhétorique ?

GORGIAS. Certes, non !

SOCRATE. Pourtant, il rend les gens capables de parler ! Mais, en plus de les rendre capables de parler, les rend-il aussi capables de penser ?

95 GORGIAS. Comment dire le contraire ? [450]

SOCRATE. Et la médecine, ne rend-elle pas capable de parler et de penser au sujet des malades ?

GORGIAS. Forcément !

SOCRATE. Par conséquent, la médecine a aussi rapport à des discours !

100 GORGIAS. Oui !

SOCRATE. Et la gymnastique : ne se rapporte-t-elle pas aussi à des discours ? Aux discours qui se rapportent au bon ou au mauvais état du corps ?

GORGIAS. Hé ! Absolument !

SOCRATE. Cela sans doute, Gorgias, vaut pour les autres arts ? Chacun a un type de
105 discours qui se rapporte à son objet ?

GORGIAS. Évidemment !

SOCRATE. Mais alors, pour quelle raison refuses-tu d'appeler arts *oratoires* les autres arts, vu qu'ils se rapportent à des discours, alors que tu appelles *art oratoire* ce qui porte sur les discours ?

110 GORGIAS. Ma raison, Socrate, c'est que, dans les autres arts, la connaissance concerne d'abord l'exercice d'un métier ou d'une activité, alors que l'art oratoire a seulement la parole pour instrument. Voilà ce qui concerne la rhétorique. Et j'affirme que c'est bien fondé.

SOCRATE. Bon ! Voyons si je te comprends bien et si je comprends bien le terme
115 « rhétorique ». Réponds-moi : des arts, nous en avons, n'est-ce pas ?

GORGIAS. Oui !

SOCRATE. Certains servent à réaliser un ouvrage et ont besoin de peu de mots. Certains même, se font en silence, comme la peinture et la sculpture, par exemple. C'est sans doute ces arts-là dont tu dis qu'ils sont sans rapport avec l'art oratoire, n'est-ce pas ?

120 GORGIAS. Mais oui, Socrate, ta supposition est parfaitement fondée !

SOCRATE. En revanche, il y a des arts qui dépendent entièrement des mots et où on n'a pratiquement pas besoin de parler, comme en arithmétique, en calcul et en géométrie. Il y en a beaucoup d'arts où parole et action sont à parts égales, tandis qu'il y en a d'autres où toute l'action est dans la communication. C'est par la parole que leur savoir s'exprime
125 d'autorité. La rhétorique, d'après toi, est sans doute de cette sorte ?

GORGIAS. Tu dis vrai !

SOCRATE. Pourtant, tu ne les appelles pas des arts *oratoires*, même si la parole est leur principal instrument, comme dans ta définition. Si on voulait te chicaner sur les mots, on pourrait te dire: «Alors Gorgias! L'arithmétique est-elle oratoire?» Je ne crois pas
130 que tu dirais ça! [451]

GORGIAS. Tu as raison de ne pas le croire, Socrate[22]!

CE QU'EST LA RHÉTORIQUE

SOCRATE. Bon! Allons-y! Finis de répondre à ma question: l'art oratoire fait de la parole un usage prédominant, mais d'autres métiers aussi; alors, quel est au juste son objet? Si on demandait: «Qu'est-ce que l'arithmétique?», je répondrais comme toi: «C'est un art
135 oratoire qui fait autorité!» Alors, on me demanderait: «À quel sujet?», je répondrais: «Au sujet du pair et de l'impair, quelle que puisse être la quantité du pair ou de l'impair considérés.» Supposons encore qu'on me demande: «Quel est le nom que tu donnes à l'art de faire des calculs?», je répondrais: «Un art de la parole qui décrète ses règles d'autorité.» Si on me demandait alors: «Ces règles s'appliquent à quoi?», je pourrais
140 répondre dans le style des greffiers de l'Assemblée[23]: «Pas de changement à propos des surplus.» L'arithmétique et le calcul ont le même objet, quoique le calcul traite des valeurs numériques du pair et de l'impair en elles-mêmes et dans leurs relations l'une avec l'autre. Si la question portait sur l'astronomie et que je dise «C'est un art de la parole dont les décrets font autorité», il faudrait encore que je précise qu'ils concernent les mouve-
145 ments des astres, du soleil, de la lune et de leur vitesse réciproque.

GORGIAS. Ce serait de ta part la réponse correcte, Socrate!

SOCRATE. Bon! Alors à ton tour de répondre, Gorgias! La rhétorique se réalise entièrement en paroles, nous le savons maintenant. Dis-moi donc alors concrètement le sujet des discours rhétoriques.

150 GORGIAS. De toutes les activités humaines, ce sont les plus importantes et les meilleures!

SOCRATE. Ce que tu dis là Gorgias est contestable! Ce n'est pas précis. Écoute! Tu as déjà entendu cette chanson[24] de table où on fait une énumération du genre: «Bien se porter voilà ce qu'il y a de mieux. Et d'être beau. Et d'être riche et honnête.»?

GORGIAS. Je l'ai déjà entendue, en effet, mais pourquoi me parles-tu de cela? [452]

155 SOCRATE. Imagine que les chansonniers rencontrent le médecin, le maître de gymnastique et le financier.

Le médecin dirait: «Socrate, Gorgias t'abuse! Ce n'est pas vrai que son art concerne ce qu'il y a de mieux pour l'humanité! C'est plutôt le mien: la médecine!» Alors, je lui demanderais: «Qui es-tu, toi, pour parler ainsi?» Il me dirait qu'il est médecin, et moi:

---

22. *Quel but Socrate poursuit-il en interrogeant Gorgias?*

23. Autrement dit, en «langue de bois».

24. Pour Socrate, les gens sans culture préfèrent les chansons aux discours parce qu'ils n'ont rien à dire. Socrate traite Gorgias avec ironie, car il n'a pas encore réussi à définir son propre métier.

160 « Tu veux dire que ton travail[25] est le plus important ? » Sans doute, il dirait « oui », puisque son objet est la santé !

Après lui, le maître de gymnastique dirait : « Socrate, je serais bien surpris que Gorgias puisse démontrer que son art est supérieur au mien ! » À celui-là aussi je poserais la même question : « Eh bien, bonhomme ! Qui es-tu donc ? Quel est ton métier ? » Il me dirait que
165 son travail est de rendre le corps des gens beau et vigoureux.

Ensuite le financier arriverait, plein de mépris pour les deux autres. Il dirait : « Peux-tu croire, Socrate, que Gorgias ou les deux autres offrent un bien supérieur à la richesse ? » Alors, on lui demanderait : « Que veux-tu dire ? La richesse est l'objet de ta profession ? » Il dirait : « Oui, car je suis financier ! » Et nous : « Comment ça ? Tu décides pour l'humanité
170 que la richesse est le bien le plus grand ? » À quoi il pourrait rétorquer : « Pourquoi pas ? » Et nous, nous dirions : « Gorgias n'est pas du tout de ton avis, car il est sûr que son art est supérieur au tien ! » Alors, il est clair que le financier demanderait : « Alors, quel est ton métier, Gorgias ? Réponds[26] ! »

Alors, vas-y ! Si tous ces gens t'interrogeaient pour te demander de quoi tu t'occupes et,
175 en plus, si tu dis que c'est le plus important bien pour l'humanité, qu'est-ce que tu leur répondrais ?

GORGIAS. C'est vrai que c'est le bien le plus important ; c'est un principe de liberté pour chacun et aussi, comme citoyen dans la Cité[27], d'autorité sur les autres.

SOCRATE. Mais enfin ! De quoi parles-tu ? [453]

180 GORGIAS. Je parle de la capacité de persuader[28]. Persuader les juges au Tribunal… Persuader les membres du Conseil. Persuader l'Assemblée[29]. Persuader les gens dans les réunions politiques… Que dis-je ? Grâce à mon art, tu peux même faire d'un médecin ton esclave, transformer le maître de gymnastique en esclave. Même le magnifique financier : si tu as le pouvoir de parler et de persuader la multitude, c'est à toi, et non pas
185 à lui, que profiteront ses opérations financières !

SOCRATE. À présent, il me semble que tu montres mieux ce qu'est ton art oratoire. Si je te comprends bien, c'est *l'art de persuader* ; c'est l'essentiel de ton activité et c'est là son véritable but. Peux-tu ajouter quelque chose de plus à l'efficacité que tu as de marquer l'âme[30] de tes auditeurs ?

190 GORGIAS. Pas du tout ! Au contraire, il me semble que tu définis très bien la substance de l'art oratoire.

---

25. Le travail, dans l'Antiquité, se subdivise en « action » et « fabrication ». L'action concerne les rapports entre les hommes, alors que la fabrication sert aux besoins de la vie. *Quel sens « travail » a-t-il ici ?*

26. *À ce point du dialogue, Socrate a-t-il atteint son but ?*

27. La Cité (*Polis*) est la structure politique où les citoyens participent aux affaires publiques ; d'où l'importance de la capacité de savoir parler en public et de discourir. La Cité est le cadre qui a favorisé l'argumentation et l'aspiration à l'égalité devant la loi, et donc plus de rationalité et moins de soumission aux mythes et traditions.

28. *Différencier « persuader » de « convaincre ».*

29. Le Tribunal, l'Assemblée et le Conseil étaient les instances politiques, législatives et judiciaires. Certains orateurs utilisaient la rhétorique dans leur propre intérêt et non dans l'intérêt général, trompant la foule qui prenait plaisir à écouter les bons discours.

30. L'âme est le principe vivant du corps et de la pensée ; elle est la source du mouvement, de la sensation, de la compréhension et de la réflexion. On peut aussi la nommer « esprit », « mental » ou, avec réserve, « conscience ».

SOCRATE. Bon! Alors, écoute-moi bien! Si quelqu'un sur la terre veut savoir exactement de quoi on parle, c'est bien moi! Et je prétends que toi aussi!

GORGIAS. Pourquoi dis-tu cela?

195 SOCRATE. Je vais te le dire. Je ne connais pas avec précision le thème de la persuasion, quoique j'aie ma petite idée. Je vais quand même te demander ce qu'est cette persuasion. Malgré mes soupçons, je préfère te faire parler et j'ai mes raisons pour mener à bien notre conversation. À toi de voir si j'ai le droit de poser mes questions à ma manière. Supposons que je te demande par exemple: «À quelle classe de peintre appartient

200 Zeuxis?» Tu répondrais: «Portraitiste.» Est-ce que je pourrais ensuite te demander: «Quelles sortes de portraits?»

GORGIAS. Bien sûr que tu en aurais le droit!

SOCRATE. Et c'est bien parce qu'il y a beaucoup d'autres sortes de peintres, n'est-ce pas? S'il n'y avait que Zeuxis comme peintre, je ne le demanderais pas.

205 GORGIAS. En effet! C'est indéniable!

SOCRATE. Alors, continuons à propos de l'art oratoire. À ton avis, est-ce qu'il n'y a que lui qui produise de la persuasion? Est-ce qu'il n'y a pas d'autres arts qui en font autant? Par exemple, un professeur persuade-t-il aussi?

GORGIAS. J'affirme qu'il persuade! C'est sûr, Socrate!

210 SOCRATE. Revenons donc aux arts dont nous parlions tout à l'heure. Le mathématicien, par exemple, en nous enseignant les propriétés des nombres, fait-il aussi profession de persuasion?

GORGIAS. Évidemment!

SOCRATE. Donc, dans ce cas, la persuasion enseignée porte sur le pair et l'impair. Pour

215 les autres professions dont on parlait tout à l'heure, peut-on dire aussi qu'elles persuadent en spécifiant la persuasion dont il s'agit et sur quoi elle porte? [454]

GORGIAS. Oui!

SOCRATE. Donc l'art oratoire n'est pas le seul à produire de la persuasion?

GORGIAS. C'est vrai!

220 SOCRATE. Dans ce cas, on est en droit de demander de quel type de persuasion s'occupe la rhétorique. *De quoi* elle persuade. Eh bien! Réponds alors à ma question de tout à l'heure.

GORGIAS. Eh bien Socrate! L'art oratoire, comme je le disais, sert dans les tribunaux et dans toutes les assemblées où il est question de ce qui est *juste* et de ce qui est *injuste*.

225 SOCRATE. Ah! Je me doutais bien que c'était de cette persuasion-là que tu voulais parler. Mais ne sois pas surpris si je te questionne encore un peu sur ce qui paraît évident. Ce qui me motive, vois-tu, ce n'est pas personnel, mais c'est la poursuite méthodique de la discussion jusqu'à la fin. Il n'est pas question de tenir pour acquis que nous saisissions exactement nos affirmations à l'un ou à l'autre. Il faut que tu puisses défendre toutes tes

230 idées, selon ta thèse[31].

---

31. Socrate amène Gorgias à exprimer les conséquences de sa thèse; c'est sa méthode pour rendre évidentes les contradictions de son interlocuteur. Il ne s'agit pas d'un vulgaire «piège», mais d'une façon habile de démontrer qu'on se contredit nécessairement si on ne distingue pas l'essentiel (les idées vraies) de l'accidentel (les opinions, vraies ou fausses, qui ne concernent que le monde concret).

GORGIAS. À mon avis, ta façon de procéder, Socrate, est vraiment bonne !

SOCRATE. Poursuivons donc ! Y a-t-il quelque chose que tu nommes « avoir appris » ou « savoir » ?

GORGIAS. Bien sûr ! Il y a bien quelque chose que j'appelle ainsi !

235 SOCRATE. Et aussi, n'y a-t-il pas quelque chose que s'appelle « se fier à » ou « croire » ?

GORGIAS. Ma foi ! Oui !

SOCRATE. Mais, à ton avis, est-ce qu'« avoir appris » et « savoir » sont la même chose que « se fier à » et « croire » ? Autrement dit, est-ce que « science » et « croyance » sont la même chose, ou pas ?

240 GORGIAS. Pour ma part, je crois que c'est différent.

SOCRATE. Et tu fais bien ! En effet, si on te demande : « Y a-t-il une croyance qui est vraie et une qui est fausse ? », je pense que tu diras oui !

GORGIAS. Oui !

SOCRATE. Mais y a-t-il une « science vraie » et une « science fausse » ?

245 GORGIAS. Pas du tout !

SOCRATE. Alors, *science*[32] et *croyance* ne sont pas identiques. Pourtant, ceux qui ont fait des études ont été persuadés tout autant que ceux qui ont cru ?

GORGIAS. C'est exact !

SOCRATE. Alors, il y a deux sortes de persuasion ? Une qui correspond à ce qu'on croit
250 sans le savoir et l'autre qui est un savoir ? À quelle espèce appartient la rhétorique que tu enseignes et qui traite du juste et de l'injuste dans les tribunaux et les assemblées ? Est-ce de la persuasion à la *croyance* ou au *savoir* ?

GORGIAS. À coup sûr, il me semble que c'est celle qui correspond à la croyance.

SOCRATE. Alors donc, [455] l'art oratoire persuade au sujet du juste et de l'injuste, mais
255 il ne l'enseigne pas, n'est-ce pas ?

GORGIAS. Oui !

SOCRATE. Ce qui veut dire que l'orateur n'a pas compétence pour enseigner[33] ce qui est juste ou injuste. Sa compétence se limite à faire croire. D'ailleurs, il n'aurait pas le temps, devant une foule, de donner tout un enseignement sur un sujet aussi vaste que le juste
260 et l'injuste !

GORGIAS. Certes non !

---

32. La connaissance vraie (science) est une dimension essentielle de la philosophie platonicienne. Le Vrai, le Bien et le Beau résument les grandes idées fondamentales auxquelles l'esprit du philosophe aspire dans sa démarche vers la connaissance, la justice et la contemplation de l'idéal. *Réfléchir à la question de Socrate et déterminer le savoir qui a le plus d'objectivité puis celui qui a le plus de subjectivité.*

33. La question problématique récurrente de Platon est : « Peut-on enseigner la vertu ? »

L'ACTION DE LA RHÉTORIQUE

SOCRATE. Eh bien! Continuons et voyons ce que valent nos propos sur la rhétorique, car moi-même, je ne mesure pas bien la portée de mes propres affirmations.

Quand des citoyens se rassemblent pour choisir un médecin ou un constructeur de
265 bateaux, ce n'est pas à un professionnel de l'art oratoire qu'ils vont demander une consultation, mais aux spécialistes; c'est clair! Même chose, s'il s'agit d'aménager un port ou des arsenaux pour la marine, ou d'ériger une muraille: ils s'adressent à des constructeurs. Dans un autre ordre d'idée, si on a besoin de délibérer pour choisir des généraux ou établir une stratégie contre l'ennemi ou prévoir un ordre de bataille, c'est à des
270 spécialistes dans l'art militaire qu'on demande leur avis. Qu'en dis-tu, Gorgias, vu que tu es un orateur et que tu en formes d'autres à la persuasion?

D'ailleurs, tu remarqueras que je travaille pour toi, car il y a peut-être ici quelqu'un qui souhaite devenir ton élève. Je remarque même, dans l'assistance, plusieurs qui le sont déjà; peut-être sont-ils intimidés pour t'interroger. Imagine donc que ce sont eux qui te
275 posent cette question: « Gorgias, qu'avons-nous à gagner à te fréquenter? Une fois passés entre tes mains, quel avis de citoyens serons-nous aptes à donner, à part le juste et l'injuste? »

GORGIAS. C'est à toi, Socrate, que je vais dévoiler l'efficacité de l'art oratoire, car tu m'as ouvert la voie. Tu sais bien que les arsenaux, les murs, l'aménagement des ports, c'est en
280 grande partie aux avis de Thémistocle et à ceux de Périclès[34] que les Athéniens les doivent et non [456] à ceux des professionnels.

SOCRATE. En effet, c'est ce que l'histoire dit à propos de Thémistocle. Quant à Périclès, j'étais présent quand il a parlé du mur entre les deux ports.

GORGIAS. Quand il y a un choix à faire pour engager des professionnels, tu vois bien,
285 Socrate, que ce sont les orateurs dont on suit les conseils.

SOCRATE. C'est bien cela qui m'étonne, Gorgias, et c'est pour ça que je pose tant de questions sur les vertus de l'art oratoire; car vu sous cet angle, c'est un art d'une grandeur divine[35]!

GORGIAS. Et si tu savais tout, Socrate! Tu verrais bien qu'il fait autorité, car il contient
290 les vertus de tous les arts réunis. Je vais te le prouver: j'ai souvent accompagné mon frère médecin, auprès de malades qui refusaient les soins, comme boire un remède, subir une chirurgie ou une cautérisation. Eh bien! Moi, seulement avec l'art oratoire, je les persuadais! Imagine même une Cité où on débat sur le choix d'un docteur. Arrivent un médecin et un homme qui sait parler[36]; tu peux être sûr qu'on va choisir celui qui a la

---

34. Thémistocle (525-460 av. J.-C.) fut un homme politique et un militaire brillant, notamment à la bataille de Marathon. Il persuada les Athéniens de la nécessité de fortifier le port du Pirée et d'augmenter la vocation maritime d'Athènes. Périclès (495-429 av. J.-C.), contemporain de Socrate, fut un chef d'État très influent. Partisan de la démocratisation de la vie politique, son éloquence, son intelligence et sa force de caractère l'ont rendu célèbre.

35. *Pourquoi Socrate ne refuse-t-il pas les exemples techniques que Gorgias utilise comme argument pour prouver la supériorité de la rhétorique?*

36. Les paroles de Gorgias s'expliquent par le contexte historique: outre la médecine d'observation, il en existait une autre, théorique, selon laquelle, les causes invisibles des maladies ne peuvent être comprises que par le raisonnement; d'où l'importance de la rhétorique en médecine.

295 parole facile. Même chose pour n'importe quel professionnel, car, *devant une foule*, l'homme habile à parler est plus persuasif que n'importe qui. Voilà donc l'étendue et la qualité de l'art oratoire[37] !

Il est vrai qu'il faut du discernement et ne pas entrer en compétition avec n'importe qui et à tout propos. Celui qui pratique la lutte ou l'escrime n'apprend pas à cogner sur ses
300 amis, ni à les tuer. Par Zeus ! Cependant, si un homme très entraîné et très en forme se met à cogner sur son père, sa mère ou ses proches, ce n'est pas une raison pour qu'on haïsse l'entraîneur, ni pour qu'on le chasse de la Cité. Le maître ne fait qu'instruire ceux qui doivent combattre l'ennemi et lutter contre l'injustice. Il enseigne à parer les attaques et non à attaquer en premier. [457] Il arrive que des disciples retournent cela à l'envers.
305 Ils se servent de leur vigueur et de leur habileté, sans droiture. Mais les pervers ne sont pas ceux qui leur ont enseigné et ce n'est pas non plus la lutte qu'on doit incriminer.

Même chose pour la rhétorique. L'orateur sait persuader indistinctement toutes les foules. Ce n'est pas une raison pour qu'il attaque des réputations, même s'il en a le pouvoir. Il doit user justement de l'art oratoire. Mais si quelqu'un abuse et en profite
310 pour commettre des injustices, ce n'est pas la faute de celui qui le lui a enseigné et ce n'est pas lui non plus qu'on doit exiler ou mettre à mort !

SOCRATE DÉFINIT LES PRINCIPES

SOCRATE. Gorgias, toi qui as une longue pratique, tu dois avoir l'expérience des discussions où les interlocuteurs, après avoir déterminé le sujet de leur entretien, n'arrivent pas à le conclure, ni à apprendre quelque chose, ni à dire ce qu'ils avaient à
315 dire. Au contraire, s'il y a une contestation, il arrive que les uns et les autres s'accusent de penser de travers, nient qu'ils s'expriment clairement, se fâchent et finissent par dire que c'est la jalousie qui les mène, qu'ils veulent avoir le dessus, au lieu de faire avancer le sujet. Il y en a même qui finissent par quitter les lieux de façon très laide avec des outrages et des insultes, au point de faire honte aux assistants.
320 Mais pourquoi est-ce que je te dis cela maintenant ? C'est parce qu'il me semble que ce que tu dis n'est pas tout à fait conséquent ni cohérent avec ce que tu disais en commençant. Mais, je crains de discuter, car je ne veux pas que tu penses que j'essaie d'avoir le dessus. Rien de ce que je dis ne vise ta personne, mais seulement ton art. Si tu es le même genre d'homme que moi, je te poserai toutes mes questions. Sinon, j'arrête
325 là ! Pour ma part, je prends plaisir à être réfuté et à objecter quand il se dit quelque chose qui n'est pas vrai, car je crois que c'est un plus grand bien[38] d'être débarrassé de la fausseté que d'en débarrasser autrui. Si tu es un homme de cette espèce, qui croit que

---

37. Dans les métiers techniques, comme dans la médecine, la rhétorique avait acquis un tel prestige que le public lui accordait plus de considération qu'aux habiletés, qui, il est vrai, avaient peu progressé. *Nommer des professions dont le statut social a varié.*
38. Ce grand bien, utile à l'âme (l'intelligence, la pensée) lui procure du bonheur. Les autres biens de l'âme sont la sagesse, la justice et le courage, alors que les biens « humains » sont la santé, la beauté, la vigueur et la richesse.

c'est un mal de juger faux, continuons! Si c'est le contraire, restons-en là et bonsoir à l'entretien[39]! [458]

330 GORGIAS. Mais oui Socrate! Je suis du même genre d'homme que toi! Par contre, on devrait peut-être tenir compte des assistants, qui ont déjà écouté pendant longtemps ma conférence avant ton arrivée. Si nous continuons, ça peut nous mener loin et il est inutile de retenir ceux qui voudraient faire autre chose!

CHÉRÉPHON. Hé! Socrate, Gorgias! Vous entendez le vacarme que font ces gens pour
335 continuer à vous écouter? Pour moi, j'espère n'avoir jamais rien d'assez important à faire qui m'empêche d'écouter un débat de cette qualité!

CALLICLÈS. Par tous les dieux, Chéréphon! Bien que j'aie déjà assisté à de nombreux entretiens, je crois que je n'ai jamais eu autant de plaisir qu'à présent! Et même si vous continuez à parler toute la journée, ce sera pour moi un cadeau, si du moins Gorgias y
340 consent!

SOCRATE. Mon cher Calliclès, rien ne m'empêche de continuer, si Gorgias est d'accord!

GORGIAS. En plus, si moi je n'y consens pas, ça paraît mal, vu que j'ai déjà accepté de répondre à toutes les questions! Alors, puisque tout le monde le veut, pose-moi tes questions!

LES INCOHÉRENCES DE GORGIAS

345 SOCRATE. Alors, écoute ce qui m'a surpris dans ce que tu as dit, et que j'ai peut-être compris de travers! Tu es capable, dis-tu, de rendre habile à parler quelqu'un qui veut l'apprendre de toi?

GORGIAS. Oui!

SOCRATE. Tu veux dire que tu peux persuader une foule sur n'importe quel sujet, sans
350 même chercher à l'instruire? [459]

GORGIAS. Hé! Absolument!

SOCRATE. Tu as dit, tout à l'heure, que sur la santé l'orateur est plus persuasif que le médecin?

GORGIAS. Effectivement, c'est ce que j'ai dit, *devant une foule*!

355 SOCRATE. Quand tu mentionnes «devant une foule», tu veux dire des gens qui n'ont pas la connaissance? Car, je ne peux pas croire que l'orateur serait plus persuasif que le médecin, devant ceux qui s'y connaissent!

GORGIAS. C'est la vérité!

SOCRATE. Donc si l'orateur est plus persuasif que le médecin, c'est qu'il est plus per-
360 suasif que celui qui a le savoir?

GORGIAS. Hé! Absolument!

SOCRATE. Sans qu'il soit lui-même médecin, n'est-ce pas?

---

39. *Formuler le principe dont parle Socrate.*

GORGIAS. Oui! C'est bien clair!

SOCRATE. Donc, quand l'orateur arrive à être plus persuasif que le médecin, celui qui
365 est le plus persuasif, c'est celui qui ne sait pas qui parle à des gens qui ne savent pas non
plus! C'est bien ça la conclusion?

GORGIAS. C'est bien la conséquence, au moins dans ce cas!

SOCRATE. Et dans les autres arts: est-ce que ce serait pareil? L'orateur a-t-il un procédé
de persuasion qui donne l'impression qu'il a plus de savoir que les savants eux-mêmes?
370 GORGIAS. Mais Socrate! Ne crois-tu pas que c'est génial de n'avoir que l'art oratoire à
apprendre pour ne jamais se sentir inférieur aux professionnels de tous les métiers?

SOCRATE. Ça, c'est toute une question[40]! L'orateur est-il inférieur ou supérieur aux
autres? Nous y reviendrons si c'est utile. Je voudrais examiner autre chose avant. Au
sujet du juste et de l'injuste, du laid et du beau, du bien et du mal, la rhétorique fait-elle
375 comme ce que tu as dit à propos de la santé? L'orateur, qui ne sait rien au sujet du bon
et du mauvais, du laid et du beau, du juste ou de l'injuste, serait-il capable de faire croire
à des gens qui ne savent pas qu'il en sait plus que les véritables savants? Ou alors, faut-
il avoir appris ces choses-là *avant* d'avoir étudié l'art oratoire? Auquel cas ce n'est pas toi
qui enseignes ces choses-là; tu feindras les connaître. C'est pourquoi l'orateur passe
380 pour un homme de valeur, alors que ce n'est pas le cas. Mais peut-être que, au contraire,
tu ne pourras pas enseigner l'art du discours si on n'a pas auparavant des vérités[41] sur ces
sujets? [460] Au nom de Zeus! Explique-moi cela!

GORGIAS. Mais Socrate, si quelqu'un ne l'a pas étudié à l'avance, il l'apprendra aussi de
moi[42]!

L'ACTION DE LA RHÉTORIQUE N'EST PAS UNIVERSELLE

385 SOCRATE. Halte! C'est quelque chose de bien ce que tu viens de dire; celui qui veut
apprendre l'art oratoire doit posséder, que ce soit avant ou après, une connaissance du
juste et de l'injuste?

GORGIAS. Eh! Absolument!

SOCRATE. Attends! Quand on a appris le travail du bois, on a la compétence du char-
390 pentier, n'est-ce pas? Et la compétence du musicien quand on a appris la musique? Et la
compétence du médecin quand on a étudié la médecine? Donc, dans tous les cas, quand
on a appris une discipline, on a la compétence qui en découle.

GORGIAS. Hé! Absolument!

SOCRATE. Si je te suis bien, celui qui a appris ce qui est juste *est* juste? Et celui qui *est*
395 *juste* fait des actions justes? Et jamais l'homme juste ne voudra commettre d'injustice?

GORGIAS. Nécessairement!

---

40. Formuler des questions problématiques est essentiel en philosophie: c'est ce que fait Socrate, ici.
41. *Repérer l'usage de « vérité » par Socrate dans l'ensemble du texte; ses interlocuteurs recherchent-ils aussi la vérité?*
42. En prononçant ces mots, Gorgias se contredit: *retrouver, plus haut, le premier énoncé de la contradiction.*

SOCRATE. Alors, selon ton argumentation, l'orateur est nécessairement juste? Et si l'orateur est nécessairement juste, il doit nécessairement faire des actions justes?

GORGIAS. Bien évidemment!

400 SOCRATE. Donc jamais l'homme compétent en rhétorique ne voudra commettre d'injustice?

GORGIAS. Bien évidemment non!

SOCRATE. Te rappelles-tu ce que tu as dit plus tôt? On ne doit pas incriminer l'entraîneur si son élève commet une injustice et c'est la même chose dans l'enseignement de la 405 rhétorique : le maître n'est pas responsable, mais seulement celui qui parle sans droiture? Tu l'as bien dit?

GORGIAS. Je l'ai dit!

SOCRATE. Or maintenant, c'est ce même homme qui possède l'art oratoire qui est incapable de commettre une injustice, d'après ce que tu dis!

410 GORGIAS. Évidemment!

SOCRATE. En outre, Gorgias, dans notre discussion il a été aussi question des discours qui concernent le juste et l'injuste, c'est bien cela?

GORGIAS. Oui!

SOCRATE. Eh bien! Quand tu as dit ça, [461] j'ai supposé que la rhétorique ne pouvait 415 pas être injuste. Mais un peu plus tard tu as dit qu'éventuellement l'orateur peut pratiquer injustement son art. Voilà pourquoi j'ai été très surpris que tu te contredises. Si mon objection te paraît utile, continuons, sinon, envoyons tout promener! Il n'en reste pas moins que tu as reconnu qu'un orateur ne peut pas user mal de son art, ni commettre une injustice! Comment tout cela est-il possible, Gorgias? Par le Chien! Ce n'est pas une 420 mince affaire que de tirer cela au clair!

PÔLOS PREND LA PLACE DE GORGIAS POUR DÉFENDRE LA RHÉTORIQUE

PÔLOS. Eh quoi, Socrate? Ton propre jugement sur la rhétorique est-il lui-même conforme à ce que tu dis maintenant? Tu te figures peut-être que Gorgias se contredit simplement parce qu'il a dit que, si un étudiant n'a pas la connaissance du juste et de l'injuste, il le lui enseignera! On sait bien que tu es enchanté quand tu arrives à mettre 425 quelqu'un en contradiction[43]! Tu penses peut-être qu'on peut, en même temps, ne pas connaître le juste et l'injuste et soutenir qu'on l'enseigne? Ce n'est pas fort de ta part de tirer cette conclusion!

SOCRATE. Eh mais! Magnifique Pôlos, si j'ai des jeunes amis et des enfants, c'est que j'attends d'eux, quand je serai vieux et quand je trébucherai à mon tour, qu'ils me 430 remettent d'aplomb en parole et en action. Mais, puisque tu es là, remets-nous donc d'aplomb, Gorgias et moi. Quant à moi, je suis bien d'accord pour revenir sur le point que tu voudras. J'ai une seule condition…

43. Nietzsche sera encore plus sarcastique que Pôlos, dans son *Crépuscule des idoles*.

PÔLOS. Quelle condition?

SOCRATE. Que tu t'arranges pour être plus succinct!

435 PÔLOS. Veux-tu dire qu'il ne me sera pas permis de m'étendre autant que je voudrais?

SOCRATE. Il serait étrange, mon brave Pôlos, [462] qu'à Athènes, lieu de grande liberté de parole, toi seul tu ne l'aies pas! Mais, figure-toi que moi aussi je perds ma liberté, si je suis obligé de t'écouter sans pouvoir partir, alors que tu parles longtemps, sans répondre aux questions. Si toutefois tu as à cœur de remettre d'aplomb la question de la

440 rhétorique, en interrogeant et en répondant, alors, sois tantôt réfutateur et tantôt réfuté[44]. Si Gorgias sait faire ça, tu sais le faire toi aussi, n'est-ce pas?

PÔLOS. Ma foi! Oui!

LA RHÉTORIQUE A POUR BUT L'AGRÉMENT – COMPARAISON AVEC LA CUISINE

SOCRATE. Alors, vas-y: tu interroges ou tu réponds?

PÔLOS. J'interroge et je commence par toi, Socrate. Puisque tu prétends que Gorgias

445 n'est pas parvenu à définir l'art oratoire, qu'est-ce que toi, tu prétends qu'il est?

SOCRATE. Eh bien! À mon avis, Pôlos, ce n'est même pas un art.

PÔLOS. Alors, qu'est-ce que c'est?

SOCRATE. Un savoir-faire, une habileté, une technique[45]. Oui, selon moi!

PÔLOS. Alors, d'après toi, la rhétorique est un savoir-faire?

450 SOCRATE. Oui! D'après moi! À moins que tu trouves autre chose.

PÔLOS. Et c'est un savoir-faire… Faire quoi?

SOCRATE. Un agrément, un plaisir.

PÔLOS. Mais si l'art oratoire a le pouvoir de donner de l'agrément, il ne serait pas une belle chose?

455 SOCRATE. Attention, Pôlos! Penses-tu que je t'ai déjà renseigné sur ce que je prétends qu'est l'art oratoire pour être déjà à la prochaine question, à savoir si c'est une *belle* chose?

PÔLOS. Je ne suis pas assez renseigné, si tu dis que c'est un savoir-faire?

SOCRATE. Puisque tu fais grand cas de l'agrément, veux-tu m'en donner un petit?

460 PÔLOS. Mais oui!

SOCRATE. Demande-moi donc quel art est la cuisine!

PÔLOS. Eh bien! Je te pose la question: quelle sorte d'art est la cuisine[46]?

SOCRATE. Ce n'en est pas un!

PÔLOS. Dans ce cas, dis ce que c'est!

---

44. *Distinguer entre « contredire », « objecter » et « réfuter ».*

45. « Technique » a deux connotations: elle est soit un faux savoir, une routine à appliquer sans intelligence, soit une science véritable de l'objet, de sa fabrication et de son utilisation. Ici, c'est le premier sens qui est appliqué aux sophistes: leur habileté à utiliser des arguments faibles contre des arguments forts ou à retourner un argument fort contre celui qui l'a émis est une « technique » d'argumentation.

46. Les Grecs distinguaient la cuisine, axée sur le goût, de la diététique, axée sur la santé.

465 SOCRATE. C'est une habileté, un savoir-faire! C'est la production d'un agrément, d'un plaisir!

PÔLOS. À ce compte, tu vas dire que l'art oratoire et la cuisine sont la même chose?

SOCRATE. Non! Pas du tout, mais ce sont des cas particuliers de la même pratique.

PÔLOS. De quelle pratique veux-tu parler?

SOCRATE DÉFINIT LA RHÉTORIQUE PAR LA FLATTERIE

470 SOCRATE. Ce serait peut-être grossier de dire la vérité. À cause de Gorgias. Il pourrait penser que je veux faire comique pour rire de son métier. Son art oratoire est-il ce que je pense? Je n'en sais rien. [463] Notre entretien n'a rien révélé de bien clair sur ce qu'est son art, pour lui. Pour ma part, ce que j'appelle art oratoire est une espèce d'activité qui n'a rien de très beau.

475 GORGIAS. Qu'est-ce que tu dis? Parle! Tu n'as pas besoin d'avoir de scrupules avec moi!

SOCRATE. Eh bien! Ce n'est pas un art! C'est une activité qui exige perspicacité, absence de peur et talent pour les relations interpersonnelles. Sa caractéristique principale, selon moi, est la flatterie[47]. Il y en a plusieurs genres et il y en a partout. Ma thèse est que ce n'est pas un art, pas plus que la cuisine.

480 La flatterie ressemble au décorum et à la méthode du sophiste[48]. Et maintenant, si Pôlos veut en savoir plus, qu'il interroge, car je n'ai pas encore expliqué le type de flatterie de la rhétorique. Il ne s'est même pas aperçu que je n'avais pas répondu sur ce point, puisqu'il vient de me demander si je le trouve beau! Avant de savoir s'il est beau ou laid, à sa place, j'attendrais au moins de savoir ce que c'est! Mais Pôlos, si tu veux vraiment

485 apprendre quelque chose, pose tes questions sur cette sorte de séduction que constitue l'art oratoire.

PÔLOS. D'accord, je t'interroge: explique-moi ce que c'est!

SOCRATE. Vas-tu me comprendre? D'après ma thèse, l'art oratoire est un simulacre de l'art politique[49]!

490 PÔLOS. Bon alors, maintenant, peux-tu enfin me dire si c'est quelque chose de beau ou de laid?

SOCRATE. Laid! Car j'appelle laid ce qui est mauvais. Mais, me voilà en train de te répondre comme si tu savais déjà ce que je veux dire!

GORGIAS. Par Zeus! Je ne comprends pas moi-même ce que tu veux dire!

495 SOCRATE. Ça se comprend, Gorgias, car je n'ai encore rien dit. Pôlos, lui, a la vivacité de la jeunesse!

---

47. *Rapportez des circonstances où vous vous êtes laissé persuader malgré vous et nommer les sentiments que vous avez éprouvés. Comment peut-on se protéger de la manipulation de conscience?*

48. Les sophistes, comme Gorgias, étaient des savants qui enseignaient ce que nous appellerions des «techniques de communication»; ils formaient donc les orateurs. Ils ont marqué les débuts de la philosophie et de la logique en affirmant le primat de la rationalité, contre les superstitions et les mythes. Platon déconsidérait la plupart des sophistes et des rhéteurs qui s'intéressaient peu à la connaissance vraie, mais davantage au prix de leurs leçons ou à leur talent.

49. *Reprendre les points saillants du dialogue concernant spécifiquement la rhétorique et formuler en un paragraphe le concept de rhétorique selon Platon. Ce concept peut-il encore s'appliquer à son acception contemporaine?*

DEUX PAIRES D'ARTS CORRESPONDENT À L'ÂME ET AU CORPS

GORGIAS. Eh bien! Envoie-le promener et explique-moi ce que tu veux dire, quand tu dis que l'art oratoire est un simulacre de la politique!

SOCRATE. D'accord, je vais essayer et si ce que je dis n'est pas correct ce sera à Pôlos de
500 me réfuter. [464] Il y a bien quelque chose que tu appelles « corps » et quelque chose que tu appelles « âme » ou « esprit[50] » ?

GORGIAS. Incontestablement, en effet!

SOCRATE. À propos des deux, il existe bien un état de bien-être?

GORGIAS. Ma foi! Oui!

505 SOCRATE. Mais quoi? Est-ce un bien-être imaginaire ou réel? Je m'explique: bien des gens se pensent en bonne santé, mais ce ne serait pas l'avis du médecin ni du maître de gymnastique. On peut bien avoir un corps et une âme en bonne santé, alors que ce n'est pas le cas.

GORGIAS. Je vois!

510 SOCRATE. Je vais essayer d'exposer clairement mon idée. Pour chaque objet donné, je distingue deux arts; celui qui concerne l'âme, je le nomme « politique[51] », celui qui concerne le corps est double; il y a la médecine et la gymnastique.

En faisant une analogie entre l'âme et le corps, on peut dire que la *législation*, en politique, correspondrait à la gymnastique, et le *judiciaire*, à la médecine. Ces arts ont un
515 objet commun, mais ils sont différents. Voilà donc quatre arts qui visent à soigner l'âme et le corps[52].

L'art de flatter s'est aperçu de leur existence. Il les a infiltrés en mimant leurs connaissances, sans les avoir. La flatterie ne se préoccupe pas de ce qui est meilleur pour l'âme ou pour le corps. Au contraire, elle prend au piège la déraison et finit par s'attribuer la réputation
520 d'être un art de grande valeur. C'est comme la cuisine qui usurpe la médecine quand elle prétend connaître les aliments bons pour la santé; et si on laissait les gens déraison- nables en juger, eh bien!… le médecin n'aurait plus qu'à se laisser mourir de faim!

---

50. *Établir schématiquement l'analogie que construit Socrate à partir de la distinction entre l'âme et le corps, sachant qu'une analogie comporte au moins quatre termes dont les rapports deux à deux respectent les mêmes proportions.*

51. Platon pose son objectif: il ne s'agit pas uniquement de faire la critique de la rhétorique, mais d'aborder les questions de la morale et de la politique dans le cadre de sa conception philosophique de deux « mondes », le monde sensible, celui du corps, et le monde intelligible, accessible à l'esprit.

52. Les politiciens, s'ils sont philosophes, et les maîtres de gymnastique veillent à l'âme et au corps. Les professions du droit et les médecins sont valorisés et s'occupent de soigner ceux qui ont perdu « la vertu »: *est-ce encore ainsi?*

LES FORMES DE LA FLATTERIE

Voilà, mon cher Pôlos, ce que j'appelle la flatterie et je dis qu'elle est laide, [465] parce qu'elle ne fait que valoriser l'agréable en délaissant le bien[53]. Je vais même plus loin : la
525 flatterie n'est pas un art ; elle n'est qu'un savoir-faire, car elle n'a aucune connaissance des démonstrations qu'elle imite. Elle se fonde sur l'irrationnel. C'est comme la parure qui prétend supplanter les bienfaits de la gymnastique : c'est une pratique malfaisante, mensongère, vulgaire et basse. Elle est une duperie qui se sert du maquillage et emprunte des airs de beauté au lieu de développer la vraie beauté que donne la gymnastique. Si je
530 pousse mon analogie, je dirais que la pratique de la parure est à la gymnastique ce que la sophistique est à l'art législatif et ce que l'habileté oratoire est à la profession du juge. Je soutiens qu'il y a une grande différence entre tous ces termes, mais, comme ils s'occupent des mêmes choses, ils sont tout entremêlés et on ne sait jamais à l'avance à qui on va avoir affaire. D'ailleurs, certains ne savent pas eux-mêmes s'ils sont législateurs
535 ou sophistes[54] !

Si le rôle de l'âme n'était pas de dominer le corps et si le corps voulait décider par lui-même de ses plaisirs, eh bien ! on tomberait dans la confusion la plus indistincte.

Cela dit, j'abuse peut-être ? Je ne t'ai pas permis de faire de longs discours, alors que je viens de prolonger le mien. J'espère qu'on m'excusera, car, lorsque j'étais bref, tu ne me
540 comprenais pas. Alors, à ton tour, parle autant que tu voudras, ainsi ce sera juste ! [466]

PÔLOS. Qu'est-ce que tu dis ? Que l'art oratoire est de la flatterie, de la séduction ?

SOCRATE. Pardon ! J'ai dit « une espèce de flatterie ». Allons Pôlos, à ton âge tu manques déjà de mémoire ! Dans quelque temps, comment feras-tu ?

PÔLOS. Dis-moi, est-ce que dans les Cités, les États, les bons orateurs sont considérés
545 comme des gens de rien, parce que ce sont des flatteurs ?

SOCRATE. C'est une question ou le début d'un discours ?

PÔLOS. C'est une question !

SOCRATE. À mon avis, ils ne sont même pas considérés !

PÔLOS. Comment ? Pas considérés ? Dans les Cités, est-ce qu'ils n'ont pas un pouvoir
550 immense ?

SOCRATE. Pas du tout, si tu prends « pouvoir » comme une bonne chose pour celui qui l'a.

PÔLOS. Bien sûr que c'est comme ça que je comprends le pouvoir !

SOCRATE. Eh bien ! À mon avis, ceux qui ont le moins de pouvoir, ce sont les orateurs !
555 PÔLOS. Comment peux-tu affirmer cela Socrate ? N'ont-ils pas autant de pouvoir que les tyrans ? Ne font-ils pas périr qui ils veulent ? Ne dépouillent-ils pas des gens de leur fortune ? Ne chassent-ils pas des Cités ceux dont ils veulent se débarrasser ?

SOCRATE. Par le Chien ! Pôlos, à chacune de tes paroles, je me demande si c'est ton opinion que tu veux exprimer ou si vraiment tu me poses des questions !

GORGIAS

---

53. La rhétorique flatteuse est laide, car elle entraîne une banalisation de la conscience éthique.
54. *Poursuivre l'analyse de l'analogie, puis repérer et formuler la conclusion qu'en tire Socrate.*

560 PÔLOS. Mais bien sûr que c'est toi que je questionne!

SOCRATE. Alors, mon cher, tu me poses deux questions à la fois.

PÔLOS. Comment deux questions?

SOCRATE. Ne viens-tu pas de dire que les orateurs, comme les tyrans, font périr qui ils veulent et qu'ils dépouillent de leur fortune ou chassent ceux qu'ils jugent bon de traiter **565** ainsi?

PÔLOS. Je l'ai dit, en effet!

SOCRATE. Eh bien! C'est ce que je dis; il y a là deux questions et je répondrai aux deux. Je déclare en effet que le pouvoir des orateurs et celui des tyrans est extrêmement faible parce qu'ils ne peuvent presque rien faire de ce qu'ils voudraient, même quand ils jugent **570** bien ce qu'ils font[55].

PÔLOS. Mais n'est-ce pas là posséder un grand pouvoir?

SOCRATE. Non! En tout cas pas d'après tes propres déclarations!

PÔLOS. Moi? Mais je n'ai rien déclaré de cela! C'est le contraire!

SOCRATE. Toi? Ah non! Tu as déclaré qu'avoir un grand pouvoir est un bien pour celui **575** qui l'a!

PÔLOS. Effectivement! Je le déclare!

SOCRATE. Alors comme ça, tu crois que c'est un bien, quand on manque d'intelligence, de faire ce qu'on juge le mieux. C'est ça que tu appelles un grand pouvoir?

PÔLOS. Non, ma foi!

580 SOCRATE. Donc, tu vas me démontrer que les orateurs ont de l'intelligence [467] et ensuite tu vas me réfuter en prouvant que l'art oratoire n'est pas de la flatterie, mais un art: c'est bien ça? Mais si tu n'arrives pas à me convaincre, tu auras prouvé, au contraire, que les orateurs et les tyrans n'ont aucun bien. Pourtant, tu as dit que la puissance est un bien et que faire ce qu'on croit bien, sans intelligence, est un mal! C'est bien ça que tu as **585** reconnu, n'est-ce pas?

PÔLOS. Ma foi! Oui.

SOCRATE. Il va donc falloir que tu me prouves que les orateurs comme les tyrans font ce qu'ils veulent, pour me prouver qu'ils ont un grand pouvoir.

PÔLOS. Ah! Quel homme!

590 SOCRATE. Moi, je prétends que les tyrans et les orateurs ne font pas ce qu'ils veulent. Alors! Réfute-moi!

PÔLOS. Toi-même, tout à l'heure, tu disais bien qu'ils font ce qu'ils jugent bon! Alors? Ils ne font pas ce qu'ils veulent?

SOCRATE. Je dis que non!

595 PÔLOS. Même en faisant ce qu'ils jugent bon de faire[56]?

SOCRATE. Je dis que oui!

PÔLOS. Ça me dépasse, Socrate!

---

55. Pour comprendre Socrate, il faut faire la distinction entre le «vouloir» qui dépend de la volonté et celui qui découle des désirs. *Chercher des exemples où «je veux» se rapporte soit à la volonté soit au désir.*

56. *Réécrire les seize dernières répliques en remplaçant «juger bon» par une expression qui aide à comprendre la démonstration de Socrate.*

SOCRATE. Ne me gronde pas. Je fais comme toi! Mais si tu es capable de me questionner, montre-moi au moins que je me trompe, sinon c'est toi qui vas devoir répondre!

600 PÔLOS. Je suis tout prêt à répondre pour savoir exactement ce que tu veux dire!

SOCRATE. Si c'est ainsi, dis-moi donc si les hommes veulent toujours tout ce qu'ils font? Par exemple, quand on boit un remède de mauvais goût, qu'est-ce qu'on veut : boire une potion infecte ou atteindre son but, c'est-à-dire bien se porter?

PÔLOS. On veut bien se porter, c'est clair!

605 SOCRATE. Même ceux qui font du commerce maritime ne font pas non plus ce qu'ils veulent. En effet, qui veut prendre la mer, courir des dangers, se donner des tracas? Ce qu'on veut vraiment, c'est s'enrichir; c'est pour ça qu'on prend la mer.

PÔLOS. Absolument!

SOCRATE. Mais, n'est-ce pas la même chose partout? Quand on a une fin en vue, un
610 objectif, c'est cela qu'on veut, non? Et non le moyen pour y parvenir? D'ailleurs, dans la réalité, se peut-il qu'il n'y ait rien qui soit ni bon, [468] ni mauvais, ni entre les deux?

PÔLOS. C'est forcé, Socrate!

SOCRATE. Et tu dis bien que la sagesse, la santé, la richesse sont des biens et que leurs contraires sont des maux?

615 PÔLOS. Oui, bien sûr!

SOCRATE. Pour les choses qui ne sont ni bonnes ni mauvaises, d'après toi, ce sont bien les choses qui sont quelquefois bonnes, quelquefois mauvaises, comme être assis, marcher, courir, naviguer, comme les cailloux, les bouts de bois et ainsi de suite? C'est bien de cela que tu veux parler quand tu dis « ni bonnes, ni mauvaises »?

620 PÔLOS. C'est bien de ça!

SOCRATE. Alors, ces choses intermédiaires, ni bonnes ni mauvaises, si nous les faisons, c'est en vue des bonnes, et non l'inverse comme faire de bonnes choses pour en avoir qui ne sont ni bonnes ni mauvaises?

PÔLOS. C'est évident qu'on fait les choses intermédiaires en vue des bonnes!

625 SOCRATE. C'est donc ce qu'on pense faire quand on fait périr quelqu'un, quand on le bannit ou quand on le dépouille de sa fortune : on croit que c'est la meilleure chose à faire? En sorte que c'est en vue du bien que les gens qui font ça le font?

PÔLOS. Approuvé!

SOCRATE. Tout à l'heure, nous sommes bien tombés d'accord que ce que nous faisons
630 c'est en vue d'une fin, d'un but?

PÔLOS. Tout à fait d'accord!

SOCRATE. Ainsi égorger quelqu'un, le bannir de la cité, le dépouiller, ce n'est pas ce que nous voulons. Si nous le faisons, c'est au cas où cela serait utile et si cela nous était dommageable, nous ne le ferions pas. Alors, d'après toi, Pôlos, ce que je dis est vrai ou
635 pas?... Qu'attends-tu pour me répondre?...

PÔLOS. C'est vrai!

SOCRATE. Alors, si nous sommes d'accord, suppose un tyran ou un orateur qui fait périr un homme, qui le bannit de la Cité ou qui le dépouille de sa fortune, en pensant que c'est bien[57], alors que c'est mauvais. C'est de son point de vue qu'il juge que c'est bon pour lui,

640 n'est-ce pas[58]?

PÔLOS. Oui!

SOCRATE. Mais s'il s'avère que c'est mauvais, le veut-il encore?… Qu'attends-tu pour me répondre?

PÔLOS. Eh bien! À mon avis, ce n'est pas cela qu'il veut!

645 SOCRATE. Alors, peux-tu affirmer qu'un homme de ce genre possède un grand pouvoir et que ce même grand pouvoir soit un bien? Je disais donc vrai en affirmant qu'il est possible qu'un homme de pouvoir ne fasse pas ce qu'il veut, bien qu'il juge qu'il fait bien[59].

IL VAUT MIEUX SUBIR L'INJUSTICE QUE LA COMMETTRE

PÔLOS. C'est cela, je le vois bien! Toi, Socrate, tu n'accepterais jamais de faire ce que bon te semble dans la Cité et tu n'aurais pas envie d'avoir ce droit s'il était utilisé pour tuer,

650 dépouiller ou emprisonner, en jugeant que c'est bon!

SOCRATE. Juger? Tu veux dire: justement ou injustement[60]? [469]

PÔLOS. Justement ou injustement! N'est-ce pas un droit enviable?

SOCRATE. Ne blasphème pas, Pôlos!

PÔLOS. Où donc est le blasphème?

655 SOCRATE. En ce qu'il ne faut envier ni les gens qui ne sont pas enviables, ni leurs victimes. Il faut en avoir pitié!

PÔLOS. Qu'est-ce à dire? D'après toi, ces gens méritent la pitié? D'après toi, si on tue en jugeant que c'est bon, tu estimes qu'on est à plaindre?

SOCRATE. Non! Pas selon moi, mais on ne mérite pas d'être envié non plus!

660 PÔLOS. Mais, tu ne disais pas, en plus, qu'on est malheureux?

SOCRATE. Si! Je l'ai dit de celui qui fait périr injustement. Celui-là mérite la pitié. Pour celui qui fait périr justement, je dis seulement qu'il ne mérite pas d'être envié.

PÔLOS. Ce ne serait pas plutôt celui qui périt injustement qui est malheureux et qui mérite la pitié[61]?

665 SOCRATE. Il l'est moins, Pôlos, que celui qui tue injustement, moins même que celui qui périt justement.

PÔLOS. Ça par exemple! Et comment?

---

57. *Comment différencier le* bien *et un* bien *?*
58. *Analyser les exemples de Socrate sous l'angle des «fins» et des «moyens» et dire si, pour lui, la rhétorique est une fin en soi ou un moyen.*
59. *Repérer toutes les occurrences de «pouvoir» et formuler les différences entre les conceptions qu'en ont Pôlos et Socrate.*
60. Introduction du thème de la justice, prise comme application du droit («juger») et comme concept moral («justement ou injustement»).
61. *D'après vous, en prenant soin de distinguer justice et vengeance, qui mérite le plus qu'on le plaigne? Chercher les exemples concrets et les arguments les plus crédibles à l'appui de sa thèse.*

SOCRATE. En ce sens que le plus grand mal est de commettre l'injustice [62].

PÔLOS. Le plus grand ? N'est-ce pas un mal plus grand d'être victime d'injustice ?

670 SOCRATE. Pas du tout !

PÔLOS. Alors toi, tu aimerais mieux être victime d'injustice plutôt que d'en commettre une ?

SOCRATE. Pour ma part, j'aimerais mieux ni l'un ni l'autre. Mais, s'il fallait choisir, je choisirais de la subir plutôt que de la commettre.

675 PÔLOS. Alors toi, tu n'accepterais pas d'exercer la tyrannie ?

SOCRATE. Non… En tout cas pas, si tu définis « tyrannie » comme moi.

PÔLOS. Eh bien ! Je l'ai dit tout à l'heure : faire tout ce qu'on juge bon de faire dans la Cité, que ce soit faire périr ou bannir. En bref, agir par décret arbitraire, selon son bon vouloir.

680 SOCRATE. Bienheureux Pôlos ! Argumente avec moi ! Imagine qu'à l'heure où la foule est sur l'Agora je m'approche de toi, mon poignard sous le bras et je dis : « Pôlos, il m'est arrivé un merveilleux pouvoir absolu. Si je juge bon que tel ou tel homme meure sur-le-champ, il sera mort. Et si je juge qu'il serait bon qu'un autre ait la tête fracassée, elle sera fracassée sur l'heure. Ou je veux que celui-là ait son manteau déchiré, qu'il en soit 685 ainsi, car mon pouvoir est assez grand pour cela. » Si tu ne voulais pas me croire sur parole, je te montrerais mon poignard. Alors, tu me dirais sans doute : « Ce genre de pouvoir, Socrate, n'est pas un grand pouvoir, car les maisons que tu voudrais incendier seraient détruites, les arsenaux et les bateaux de guerre comme les bateaux de commerce aussi. » Si on regarde la chose ainsi, on voit bien que ce n'est pas de faire tout ce qu'on 690 veut qui est un grand pouvoir. Quel est ton avis ?

PÔLOS. Non, ce n'est pas cela ; en tout cas, pas comme ça ! [470]

SOCRATE. Mais es-tu capable de me dire la raison de tes critiques à l'égard de ce genre de pouvoir ?

PÔLOS. Oui, ma foi ! C'est qu'un homme qui agirait ainsi serait forcément puni !

695 SOCRATE. Encourir une peine est donc une mauvaise chose ?

PÔLOS. Absolument !

SOCRATE. Merveilleux Pôlos ! Tu vois bien que si un acte est *utile*, alors avoir le pouvoir est bien. Mais dans le cas contraire, c'est mal de posséder un grand pouvoir [63].

---

62. La position de Socrate ne peut se comprendre que si l'on admet que l'« âme » est l'essence de l'être humain, alors que le corps n'est qu'accidentel (temporaire et périssable). Celui qui commet l'injustice détruit son âme (et peut-être celle de sa victime) ; celui qui la subit souffre dans son corps ou dans ses biens.

63. *Après avoir étudié les deux dernières sections, formuler une définition socratique de la justice.*

LE BONHEUR DE L'INJUSTE – LE CAS D'ARCHÉLAOS[64]

Pourtant, n'y a-t-il pas des cas où il vaut mieux mettre à mort des gens ou les bannir ou
700 les dépouiller et des cas où ce n'est pas bien?

PÔLOS. Hé! Absolument!

SOCRATE. Voilà donc un point qui semble nous mettre d'accord. Mais dans quel cas penses-tu qu'il vaut mieux faire tout cela? Quelle est la démarcation entre les deux?

PÔLOS. C'est plutôt à toi, Socrate, de répondre là-dessus!

705 SOCRATE. Dans ce cas, Pôlos, je déclare que c'est mieux d'imposer des châtiments par justice et que c'est pire d'imposer ces maux injustement!

PÔLOS. Pas difficile, Socrate, de te réfuter! Même un enfant réfuterait tes contre-vérités!

SOCRATE. Mille grâces à cet enfant et à toi aussi, si tu me libères de ma sottise! Sois bienfaisant et réfute-moi donc!

710 PÔLOS. Il n'est pas nécessaire d'aller chercher bien loin pour cela! Dans les événements récents, on a tout ce qu'il faut pour démontrer qu'il y a de nombreux hommes qui sont heureux et qui commettent des injustices!

SOCRATE. Que me dis-tu là?

PÔLOS. Vois Archélaos, fils de Perdiccas, qui règne sur la Macédoine!

715 SOCRATE. Je ne le vois pas, mais j'en ai entendu parler!

PÔLOS. Selon toi, il est heureux ou malheureux?

SOCRATE. Je n'en sais rien. Je ne me suis jamais trouvé avec ce personnage!

PÔLOS. Il faudrait que tu sois avec lui pour le savoir? D'ici, tu ne peux donc pas connaître son bonheur[65]?

720 SOCRATE. Certainement non, par Zeus!

PÔLOS. C'est pourtant clair! Tu vas aussi prétendre que tu ne sais pas si le Grand Roi[66] est heureux?

SOCRATE. En effet! Je n'ai aucune idée de sa culture[67] ni de son esprit de justice.

PÔLOS. Et quoi? Est-ce cela *le* bonheur?

725 SOCRATE. C'est ce que j'en dis, Pôlos! Une femme ou un homme bons et beaux à l'intérieur sont heureux selon moi, alors qu'un type injuste et pervers est malheureux.

PÔLOS. S'il faut te croire, alors, Archélaos est malheureux? [471]

SOCRATE. Oui, s'il est injuste[68]!

PÔLOS. Comment pourrait-il ne pas l'être? Écoute son histoire: son père était Perdiccas,
730 et sa mère, une esclave d'Alcétès, frère du roi. En toute justice, il aurait dû être esclave, et selon ta thèse, il aurait été heureux ainsi! Or, en réalité, il est devenu bien malheureux, car il a commis les pires injustices! Écoute bien: Archélaos s'empare du pouvoir détenu

---

64. Archélaos, roi de Macédoine, mourut assassiné en 399 av. J.-C. après un règne de type militaire où il réorganisa l'État. Il aimait la culture hellénique et pratiquait le mécénat.

65. Les philosophes de l'Antiquité admettent que le but de la vie est le bonheur (eudémonisme).

66. Le roi de Perse.

67. Culture, pris au sens d'éducation. Ce thème de l'éducation reviendra plus loin.

68. *L'injuste est-il nécessairement malheureux? Débattre.*

par Perdiccas, puis il invite Alcétès pour lui remettre le pouvoir. Il le reçoit avec son fils, Alexandre, qui a à peu près son âge. Il les enivre, les égorge et fait disparaître les cadavres de nuit.

Pourtant, après avoir commis ces injustices, il ne s'est pas rendu compte qu'il était malheureux, car il ne s'est pas repenti et il a continué à commettre des méfaits ! Perdiccas avait un fils de sept ans. Or, au lieu de l'élever, pour lui remettre la couronne qui lui revenait légitimement, Archélaos l'a fait jeter dans un puits. Puis, il a raconté à sa mère Cléopâtre que l'enfant était tombé dans le puits en courant après une oie.

Voilà pourquoi, après avoir commis plus d'injustices que tous les Macédoniens, il est maintenant le plus malheureux d'entre eux ! Et voilà pourquoi n'importe qui, à Athènes, à commencer par toi, préfèrerait être n'importe quel Macédonien, mais surtout pas Archélaos[69] !

SOCRATE POSE LES CONDITIONS D'UNE PREUVE VALABLE

SOCRATE. Moi qui pensais que tu avais une belle culture d'art oratoire ! Et c'est là, l'argument avec lequel même un enfant réfuterait ma thèse selon laquelle il n'y a pas de bonheur pour celui qui commet l'injustice ? Où prends-tu cela, mon bon ? C'est sûr ! Je ne retiens aucune de tes assertions !

PÔLOS. C'est parce que tu t'obstines !

SOCRATE. Mon cher Pôlos, tu penses me réfuter avec une preuve d'orateur de tribunal ! Les parties adverses croient se réfuter mutuellement en produisant de nombreux témoins réputés. Plus elles ont de témoins, plus elles croient prouver leurs allégations. Or, au *regard de la vérité*, cette sorte de preuve n'a aucune valeur, [472] même si on est écrasé par de nombreux faux témoignages de gens importants ! Archélaos est-il heureux ? À peu de choses près, tu ferais l'assentiment unanime des Athéniens et des étrangers, si tu souhaitais trouver des témoins contre moi. Tu pourrais faire témoigner Nicias, dont les offrandes ornent l'enclos de Dionysos, Aristocratès, toute la maison de Périclès ou n'importe quelle autre famille d'ici. Eh bien ! Moi seul, je n'y donne pas mon adhésion et tu ne peux pas m'y contraindre ! C'est même le contraire quand on essaie de me faire dévier de ce qui m'est cher : la vérité[70]. Voilà ce que je pense de cette forme de preuve que toi, et bien d'autres, croyez valable[71]. Mais il y en a une autre, à laquelle, moi, j'attache de la valeur : laisse tomber tous tes faux témoins et ne garde que mon témoignage ; si j'emporte ton adhésion, alors rien n'est fini pour moi. Même chose pour toi. Comparons-les, car c'est de la plus haute importance et il n'y a rien de plus beau que de savoir[72] et il

---

69. *Qui sont les Archélaos contemporains ?*
70. *Quel type de preuve Socrate réfute-t-il ?*
71. Pour Socrate, l'opinion de la majorité n'est pas une preuve. À notre époque, nous utilisons abondamment les sondages d'opinion, ainsi que les observations sur la « majorité » ou les « minorités » pour tirer des conclusions, faire des prévisions ou prendre des décisions. *Que pourrait nous en dire Socrate ?*
72. *Le savoir véritable est-il déterminé par l'opinion de la majorité ? Donner des exemples.*

765 n'y a rien de plus laid que de ne pas savoir. En effet, le cœur de la question est de savoir ou d'ignorer qui est heureux[73] et qui ne l'est pas.

Pourquoi discutons-nous, au juste? D'après toi, il peut y avoir de la félicité pour celui qui commet l'injustice, puisque tu soutiens que Archélaos, qui est injuste, est un homme heureux. Si tu en es convaincu, ne devons-nous pas réfléchir là-dessus?

770 PÔLOS. Hé! Absolument!

NE PAS EXPIER SA FAUTE EST LE PIRE MALHEUR

SOCRATE. Moi, j'affirme que cela est impossible. Regardons cela de plus près: y a-t-il du bonheur[74] pour celui qui a commis des injustices et qui est puni?

PÔLOS. En aucune façon! Il serait même tout ce qu'il y a de plus malheureux!

SOCRATE. Dans le cas contraire, si je comprends bien ta thèse, celui qui ne serait pas 775 châtié pour avoir commis des injustices serait heureux?

PÔLOS. Je l'affirme!

SOCRATE. Eh bien, Pôlos! Mon opinion à moi est que celui qui est injuste et qui a commis des méfaits est plus malheureux s'il n'est pas puni que s'il est puni. C'est comme si sa peine lui faisait payer, aux hommes et aux dieux, ses méchancetés. [473]

780 PÔLOS. Socrate! Ce sont des absurdités que tu dis là!

SOCRATE. Alors camarade! Je vais m'arranger pour te faire dire les mêmes absurdités, parce que tu es mon ami. Maintenant que nous savons sur quoi nous ne sommes pas d'accord, rappelle-toi ce que j'ai dit tout à l'heure: commettre l'injustice est pire que la subir.

785 PÔLOS. Oui, c'est ce que tu as dit.

SOCRATE. Toi, tu as dit que c'était la subir qui était pire, n'est-ce pas? Et sur ce, tu as cru me coincer. De plus, tu crois que ceux qui font des injustices sont heureux, pourvu qu'ils ne soient pas pris! Moi, je dis le contraire: ceux qui paient la peine sont moins malheureux que ceux qui ne la paient pas. Veux-tu me réfuter sur ce point aussi?

790 PÔLOS. Sur ce point, c'est plus difficile, Socrate, de te confondre.

SOCRATE. Plus difficile? Pas du tout, Pôlos! Impossible! Jamais on ne réfutera la vérité!

PÔLOS. Qu'est-ce que tu chantes là? Pense à un homme qui a injustement comploté contre un régime tyrannique et qui est pris. Il est mis à la torture, on le mutile, on lui brûle les yeux et on lui fait subir quantité de souffrances cruelles et variées et en plus on 795 en fait subir autant, sous ses yeux, à sa femme et à ses enfants. Finalement, on le crucifie ou on l'enduit de poix pour le brûler vif. Tu vas me dire que cet homme-là serait plus heureux de subir toutes ces peines que s'il avait réussi son complot et qu'il soit devenu tyran à son tour et qu'alors, il serait envié par ses concitoyens et par les étrangers? Tu croyais que je ne pouvais pas te réfuter[75]?

---

73. À l'aide du dictionnaire, définir «bonheur» puis essayer d'en développer une conception personnelle et argumentée.

74. L'argument du bonheur est employé par Socrate, par Pôlos et également par Calliclès, et pourtant ils ne sont pas d'accord; il faut donc *définir le bonheur selon chacun d'eux pour comprendre l'origine de leur opposition.*

75. *Pôlos a-t-il compris l'explication de Socrate au sujet d'une «preuve valable»?*

SOCRATE. Cette fois-ci, mon brave Pôlos, tu fais le croquemitaine, mais tu ne me réfutes pas ! Repense juste à une petite phrase que tu viens de dire. Tu as bien dit : « un homme qui a injustement comploté contre un régime tyrannique[76] » ?

PÔLOS. Oui, ma foi !

SOCRATE. À mon avis, ils ne seraient pas plus heureux l'un que l'autre ; ni celui qui se serait élevé injustement contre la tyrannie, ni celui qui aurait été pris, car entre deux malheureux, aucun ne saurait être « plus heureux ». Mais le « plus malheureux » serait celui qui est devenu tyran. Comment Pôlos ? Tu ris ? Est-ce avec ton rire que tu crois me réfuter ?

PÔLOS. Tu ne crois pas, Socrate, que tu es assez confondu du fait que tu dises des choses que personne au monde ne voudrait soutenir ? Demande donc à n'importe qui parmi ceux qui sont ici !

SOCRATE. Écoute, Pôlos, je ne suis pas un homme politique ! L'an dernier, le tirage au sort m'a désigné pour faire partie du Conseil et j'ai fait rire de moi, parce que je ne savais pas comment on faisait pour voter sur une proposition [474]. Alors, ne me dis pas de faire un sondage dans l'assistance ! Si c'est ta seule objection, laisse-moi te réfuter, toi. Comme je te l'ai dit, je n'ai toujours qu'un seul témoin à produire à l'appui de ce que je dis. À la foule[77] des autres, je souhaite bien le bonsoir ! Il n'y a qu'une seule voix que je sache recueillir, tandis qu'avec la foule je ne converse même pas[78]. Alors est-ce que tu acceptes de répondre à mes questions pour que je réfute tes réponses ? Je demeure convaincu que même toi et les autres pensez, comme moi, que commettre une injustice est pire que la subir.

PÔLOS. Et moi, ce que je pense, c'est que ni moi, ni personne n'a cette idée-là ! Toi-même, accepterais-tu de subir l'injustice plutôt que de la commettre ?

SOCRATE. En vérité, toi aussi, tu l'accepterais davantage, et quiconque aussi !

PÔLOS. Tant s'en faut ! Ni moi, ni toi, ni personne d'autre !

SOCRATE. Donc tu refuses de répondre à mes questions ?

PÔLOS. Pas du tout et j'ai même hâte de voir ce que tu vas bien pouvoir dire !

---

76. Par définition, le tyran est un maître absolu qui a acquis son pouvoir par la violence (notamment par la violence verbale de la rhétorique) ; or, Socrate n'examine pas ici la justice ou l'injustice du tyrannicide : la question reste ouverte.

77. *Rechercher les phrases où se trouve « foule » dans les pages précédentes pour comprendre la critique de la rhétorique au regard de la vérité.*

78. *Faire le lien entre ce passage et le paragraphe intitulé « Socrate pose les conditions d'une preuve valable » et expliquer quel est le type de preuve que rejette Socrate et quelle est celle qu'il accepte. Et pourquoi ?*

LA THÈSE DE SOCRATE : IL VAUT MIEUX
SUBIR L'INJUSTICE QUE LA COMMETTRE

SOCRATE. Allons ! Faisons comme si on était au début de mes questions : dis-moi, Pôlos, qu'est-ce qui est le pire, commettre l'injustice ou la subir ?

830 PÔLOS. La subir, selon moi !

SOCRATE. Et maintenant : qu'est-ce qui est le plus laid, la subir ou la commettre ?

PÔLOS. C'est la commettre.

SOCRATE. C'est donc pire si c'est plus laid ? Probablement, pour toi, le beau et le bien ne sont pas identiques, ni identiques le laid et le mauvais.

835 PÔLOS. Non, bien sûr !

SOCRATE. Alors, que dis-tu de ceci : tout ce qui est beau, comme les corps, les couleurs, les formes, les voix, les occupations, quand tu dis qu'ils sont beaux, est-ce que c'est machinalement, sans penser à leur utilité ou au plaisir que leur contemplation te procure ? N'est-ce pas la même chose à propos de toute beauté ? La beauté n'est-elle pas

840 toujours rapportée à l'utilité ou au plaisir ?

PÔLOS. J'en conviens.

SOCRATE. C'est la même chose n'est-ce pas, pour les belles voix ou la musique ? Même chose pour les lois ? Pour les actions ? Elles sont belles pour l'utilité, ou pour l'agréable, ou pour les deux ?

845 PÔLOS. C'est aussi mon avis. [475]

SOCRATE. C'est la même chose enfin quand on parle de la beauté d'un objet d'étude ?

PÔLOS. Absolument, certes ! Au moins, tu définis bien le beau par l'agréable et l'utile.

SOCRATE. Donc forcément, au contraire, la laideur, tu la définis par le nuisible et le mal ? En conséquence, quand une chose est plus belle qu'une autre, c'est qu'elle la surpasse ou

850 en utilité ou en plaisir ou dans les deux ? Et forcément une chose laide cause de la peine et du mal ?

PÔLOS. Absolument, certes !

SOCRATE. Poursuivons donc ! Tu as bien dit tout à l'heure qu'il était plus mauvais de subir l'injustice mais plus laid de la commettre[79] ? Or, s'il est plus laid de commettre

855 l'injustice, c'est cela le plus pénible ; la laideur de la commettre surpasse la laideur de subir la peine et le mal. N'est-ce pas forcé ?

PÔLOS. Comment, en effet, ne serait-ce pas ainsi ?

SOCRATE. Alors, examinons ceci : si c'est plus laid de commettre l'injustice que de la subir, cela veut-il dire que ceux qui la commettent souffrent plus que ceux qui la subissent ?

860 PÔLOS. Nullement, Socrate, en tout cas pour ce qui concerne la souffrance.

SOCRATE. Donc, si la souffrance n'est pas en cause, sa laideur viendrait du mal[80].

PÔLOS. Vraisemblablement !

---

79. Socrate met Pôlos en contradiction avec lui-même : *retrouver les éléments de la contradiction.*
80. *Quelle distinction Socrate fait-il entre souffrance et mal ?*

SOCRATE. Alors, si c'est par le mal que l'une surpasse l'autre, c'est que commettre l'injustice doit être plus mauvais que la subir!

865 PÔLOS. C'est bien clair!

SOCRATE. Or, tu étais d'accord, tout à l'heure, que commettre l'injustice est plus laid que la subir. Mais voici qu'à présent, tu découvres que c'est pire que tu pensais.

PÔLOS. Il semble bien.

SOCRATE. Préférerais-tu la laideur, le nuisible et le mal? N'aie pas peur de répondre!

870 PÔLOS. Eh bien! Socrate, je ne pourrais pas lui donner la préférence.

SOCRATE. Quelqu'un d'autre pourrait-il le faire?

PÔLOS. Je ne crois pas, en tout cas, pas selon ton argument.

SOCRATE. J'étais donc dans le vrai en disant que ni toi, ni moi, ni personne ne peut préférer commettre l'injustice plutôt que la subir, parce que c'est ce qu'il y a de pire.

875 Tu vois bien que nos deux méthodes de preuve ne se ressemblent pas. Dans la première, tout le monde s'entend sauf moi, tandis que, dans l'autre, il me suffit de ton seul [476] accord pour établir la vérité. À tous les autres, je dis bien le bonsoir!

EXPIER SA FAUTE OU NE PAS L'EXPIER?

Maintenant, regardons le deuxième point de notre argumentation: subir sa peine pour une injustice qu'on a commise, est-ce le plus grand des maux? Ou, au contraire, comme

880 je le pense, moi, le pire est de ne pas être châtié[81]. Peux-tu nier que ce qui est juste est beau, précisément, parce que c'est juste? Réfléchis bien[82], et dis-moi ce que tu en penses.

PÔLOS. Eh bien! Socrate, je suis de cet avis.

SOCRATE. Considère maintenant le point suivant: quand on agit, n'y a-t-il pas toujours un *agent* et un *patient*? Par exemple, si on frappe, il faut bien qu'il y ait quelque chose de

885 frappé.

PÔLOS. C'est forcé!

SOCRATE. Si celui qui frappe, frappe fort et vite, celui qui est frappé est aussi frappé de cette façon? Donc on peut dire que l'état subi correspond au geste posé? De même, si on brûle, il faut que quelque chose soit brûlé? Si on brûle fort et douloureusement, si on

890 coupe, celui ou ce qui est brûlé ou coupé le sera en proportion de l'acte, n'est-ce pas?

PÔLOS. Évidemment!

SOCRATE. Alors, dis-moi, celui qui paye la peine de sa faute, est-ce qu'il agit ou est-ce qu'il pâtit?

PÔLOS. C'est forcé qu'il pâtit, Socrate! Il subit et celui qui agit est celui qui applique le

895 châtiment.

SOCRATE. Or, celui qui châtie à bon droit châtie justement? Et quand il fait cela, est-ce que c'est juste?

---

81. Dans ce paragraphe et dans le suivant, Socrate expose son principe et l'illustre en retournant l'exemple d'Archélaos. *Existe-t-il des contre-exemples qui permettraient de douter du principe socratique?*

82. Pour bien réfléchir, comme le suggère Socrate, garder en tête les définitions du bonheur examinées auparavant.

PÔLOS. Si! C'est juste.

SOCRATE. Alors, celui qui est châtié pour sa faute pâtit en toute justice! Et, n'as-tu pas
900 dit que tout ce qui est juste est beau?

PÔLOS. Hé! Absolument!

SOCRATE. Donc, celui qui châtie justement fait quelque chose de beau et bon. Or, ce qui est bon est agréable ou utile, non[83]?

PÔLOS. Forcément!

905 SOCRATE. Alors, c'est donc une bonne chose que subit celui qui est châtié pour sa faute, car c'est utile, n'est-ce pas? Cette utilité est-elle ce que j'en pense? Ne devient-on pas meilleur dans l'âme quand on est châtié justement?

PÔLOS. C'est pour le moins probable.

SOCRATE. C'est donc que celui qui subit sa peine voit son âme débarrassée d'un mal.
910 Or n'est-ce pas la plus grande sorte de mal dont il est débarrassé? Pour me faire comprendre, voici un exemple: par rapport aux biens matériels, le pire mal n'est-il pas la pauvreté?

PÔLOS. Exact!

SOCRATE. Par rapport au corps, le pire mal n'est-il pas la faiblesse ou la maladie, ou
915 encore la laideur?

PÔLOS. Ma foi! Oui!

SOCRATE. Et, dans l'âme aussi il peut y avoir des défauts comme l'injustice, l'ignorance, la lâcheté et tout ce qui est de cet ordre?

PÔLOS. Hé! Absolument. [477]

920 SOCRATE. De tous ces défauts, lequel est le plus laid? N'est-ce pas l'injustice ainsi que les autres défauts de l'âme?

PÔLOS. Et de beaucoup!

SOCRATE. Si c'est le défaut le plus laid, c'est aussi le plus mauvais.

PÔLOS. Que veux-tu dire, Socrate?

925 SOCRATE. Eh bien! Comme nous l'avons convenu tout à l'heure: ce qui est mauvais donne plus de peine et de dommage. Et c'est l'injustice et les défauts de l'âme que nous venons de trouver les plus laids.

PÔLOS. En effet, nous sommes tombés d'accord sur ce point.

SOCRATE. Donc si l'injustice est ce qu'il y a de plus affligeant, c'est qu'elle est la plus
930 laide ou encore parce qu'elle cause le plus de tort, ou pour les deux raisons, n'est-ce pas?

PÔLOS. Forcément.

SOCRATE. Mais est-ce plus affligeant d'être injuste, licencieux, lâche et ignorant ou d'être pauvre et malade? Le mal qui vient des défauts de l'âme est-il le plus grand mal qui existe? Mais comment se débarrasse-t-on des maux? N'est-ce pas par les affaires
935 qu'on se débarrasse de la pauvreté? Et c'est la médecine qui nous débarrasse de la maladie, n'est-ce pas?

---

83. *Pour distinguer l'utile de l'agréable, classer deux fois les cas suivants, d'abord du plus utile au moins utile et ensuite du plus agréable au moins agréable: le juste puni, le juste impuni, l'injuste puni (sa punition est proportionnée à sa faute ou sa punition est disproportionnée), l'injuste impuni.*

PÔLOS. Forcément.

SOCRATE. Et qu'est-ce qui nous débarrasse de la perversité et de l'injustice ? Pour t'aider à répondre, regarde la question autrement. Pour nous débarrasser de la maladie [478] nous allons voir le médecin ; qui devons-nous consulter pour nous délivrer de la licence et de l'injustice ?

PÔLOS. Veux-tu parler des juges ?

SOCRATE. Oui, ceux qui font payer les fautes d'une peine, car c'est un jugement de justice qui nous débarrasse de l'injustice. Et d'après toi, de toutes ces choses laquelle est la plus belle[84] ?

PÔLOS. De quelles choses veux-tu parler Socrate ?

SOCRATE. Eh bien ! Des affaires, de la médecine et du jugement de la justice !

PÔLOS. C'est de beaucoup le jugement de la justice qui l'emporte !

SOCRATE. Donc c'est le jugement juste qui produit la plus grande quantité d'utilité ou de plaisir ?

PÔLOS. Oui.

SOCRATE. Pourtant, est-ce qu'on se réjouit d'être entre les mains du médecin ? Est-ce un plaisir ?

PÔLOS. Non ! Ce n'est pas mon avis.

SOCRATE. Et pourtant, c'est utile, pas vrai ? On préfère la douleur des soins et retrouver la santé.

PÔLOS. Effectivement, c'est indéniable.

SOCRATE. Évidemment, le mieux est de ne pas être malade du tout, car le bonheur n'est pas d'être débarrassé du mal mais de commencer par ne pas l'avoir.

PÔLOS. Exact !

SOCRATE. Pourtant, de deux hommes malades, lequel est le plus malheureux, celui qui garde son mal ou celui qui accepte de souffrir pour s'en débarrasser ?

PÔLOS. Pour moi, le plus malheureux est celui qui refuse d'aller consulter le médecin.

SOCRATE. De plus, on s'entend bien que se débarrasser du pire mal de l'âme, soit la méchanceté, c'est payer pour sa faute ?

PÔLOS. Entendu, en effet.

SOCRATE. Je pense que c'est cela qui assagit les gens et les rend plus justes. Le jugement est comme un traitement médical de leur méchanceté. On peut dire que l'homme le plus heureux est celui qui n'a aucune méchanceté dans l'âme, puis vient celui qui en a été débarrassé par des remontrances et une correction. Il a payé pour sa faute[85].

PÔLOS. Oui[86].

---

84. *De quel type de beauté Socrate parle-t-il ?*

85. *Les médias nous révèlent que bien des crimes restent impunis, alors que la majorité des films présentent le triomphe des bons sur les méchants : qu'en penser ?*

86. *Relire cette section et la précédente et définir « utilité » selon Socrate : est-ce le sens courant de ce terme ?*

LE CAS D'ARCHÉLAOS PERMET UNE CONTRE-ÉPREUVE

SOCRATE. Donc, celui qui a la pire existence est celui qui a en lui méchanceté et injustice et qui n'en a pas été débarrassé. C'est exactement la vie de ceux qui passent leur existence à faire les pires méfaits et à éviter à tout prix de payer pour leurs crimes. C'est bien le cas
975 d'Archélaos et de tant d'autres tyrans, souverains et orateurs, non[87] ?

PÔLOS. Oui, vraisemblablement.

SOCRATE. Ces gens-là, si on continue mon analogie de la maladie, se conduisent, à peu de chose près, comme ces malades qui refusent de se soigner par crainte du mal que leur fera subir le médecin. N'est-ce pas ton opinion à toi aussi ?

980 PÔLOS. Ma foi oui !

SOCRATE. En vérité, c'est le comportement de quelqu'un qui ne veut pas reconnaître la valeur de la santé ! Et puisque nous sommes d'accord pour dire que c'est le comportement de ceux qui font tout pour échapper à la justice, on peut dire qu'ils se conduisent en aveugles, méconnaissant à quel point c'est pire d'être uni à une âme pourrie, que de
985 retrouver la santé morale[88]. [479] C'est pour ça qu'ils font tout pour ne pas payer pour leurs fautes, qu'ils accumulent des richesses, s'entourent d'amis et tiennent des discours persuasifs. Alors Pôlos, si nous sommes d'accord et que ceci est vrai, vois-tu les conséquences de cette thèse ? Ou préfères-tu que nous en dressions le bilan ?

PÔLOS. Oui, si tu le juges bon.

990 SOCRATE. Eh bien ! La conclusion n'est-elle pas que le plus grand mal est l'injustice et en particulier le fait de la commettre ?

PÔLOS. Du moins, c'est ce qui nous est apparu.

SOCRATE. Et que payer pour ses fautes est le moyen de se débarrasser de ce mal ?

PÔLOS. C'est bien possible.

995 SOCRATE. Et si on ne le fait pas, le mal persiste. Alors, ne pas payer pour ses crimes est le plus grand des maux et en commettre est le second. Or, n'est-ce pas là, mon cher, le thème de notre discussion ? Tu pensais qu'Archélaos était heureux, lui qui a commis des quantités de méfaits et n'a pas payé pour ses fautes. Moi, je disais qu'il était extrêmement malheureux, plus malheureux même que ceux qui subissent l'injustice. Est-ce que c'est
1000 bien ça que nous disions ?

PÔLOS. Oui.

SOCRATE. Alors, avons-nous démontré la vérité ?

PÔLOS. Il semble bien !

---

87. *Les tyrans ont-ils besoin de la rhétorique ? Ou encore : l'usage de la rhétorique auquel s'oppose Socrate conduit-il nécessairement à la tyrannie privée et politique ?*

88. «La santé morale» évoque «le» moral (et non la morale), comme dans l'expression «avoir le moral»; le terme s'applique à l'ensemble de la vie mentale, au courage en particulier.

CONCLUSION SUR LA FONCTION DE LA RHÉTORIQUE

SOCRATE. Eh bien! Si c'était la vérité, quel besoin aurions-nous de la rhétorique? Main-
1005 tenant que nous sommes tombés d'accord, il semble que nous devons éviter de commettre
des injustices, n'est-ce pas? [480]

PÔLOS. Hé! Absolument!

SOCRATE. Quand quelque chose de mal a été fait, il faut se hâter d'aller chez le juge payer
pour sa faute, de même qu'on va chez le médecin pour guérir, sinon l'âme gangrenée
1010 sous sa cicatrice finit par devenir incurable. Si tu es toujours d'accord avec notre raisonnement, Pôlos, n'est-ce pas ce qui est cohérent?

PÔLOS. En effet, Socrate, que pourrions-nous dire d'autre?

SOCRATE. Il n'est donc pas question, selon moi, de plaider pour nos injustices, ni pour
celles de nos père, mère, amis, patrie. L'art oratoire ne doit pas être utilisé pour cela. Au
1015 contraire, il faut s'accuser soi-même et ses proches et dénoncer toute injustice. Au lieu
de dissimuler les méfaits, il faut les amener au plein jour. Au lieu d'avoir peur de subir
sa peine, il faut courageusement accepter la douleur du châtiment, en sachant que c'est
ainsi qu'on s'élève vers le beau et le bien[89]. Il faut accepter d'être battu, si on a donné des
coups, accepter la prison, si c'est ce qu'on mérite, accepter de payer l'amende, l'exil et
1020 même la mort. La rhétorique ne devrait être utilisée que pour dénoncer tous méfaits,
même ceux de ses proches[90]. Ce n'est qu'ainsi qu'on peut se délivrer du pire mal. Peux-
tu nier ou confirmer cela, Pôlos?

PÔLOS. Ton langage, Socrate, est déconcertant et pourtant j'admets que ces conséquences
sont cohérentes avec ce que nous avons dit plus tôt.

1025 SOCRATE. Je vais pousser plus loin, Pôlos. Imagine qu'on ait affaire à un ennemi, donc
à quelqu'un à qui on veut du mal. Il faut, par tous les moyens, s'arranger [481], sans être
soi-même sa victime, pour qu'il ne paie pas pour ses injustices[91]. Il faut l'empêcher de
payer sa dette envers la justice, de payer ses amendes, d'être emprisonné ou exécuté. Je
souhaiterais même qu'il ne meure jamais, qu'il devienne immortel et subisse le plus
1030 longtemps possible la condition de son âme pourrie. Voilà Pôlos, à quoi pourrait servir
la rhétorique! Mais celui qui ne fait pas d'injustice, je ne crois pas qu'il en ait besoin[92].

---

89. Le châtiment doit servir à corriger, à éduquer. *Notre système judiciaire et nos punitions sont-ils conçus dans ce but?*
90. *Comment mettre ce propos en pratique? Est-ce faire de la délation?*
91. *Comment expliquer la position radicale de Socrate et estimer comment elle se distingue des conceptions chrétienne du pardon et bouddhiste de la compassion. La conclusion de Socrate est-elle acceptable aujourd'hui?*
92. *Reprendre le dialogue depuis le début et mettre en évidence les principes moraux de Socrate de façon à percevoir leur logique interne.*

ENTRETIEN AVEC CALLICLÈS

CALLICLÈS. Dis-moi, Chéréphon, est-ce que Socrate est sérieux ? À quoi s'amuse-t-il ?

CHÉRÉPHON. À mon avis, il est sérieux ! Rien de tel que de lui poser la question.

CALLICLÈS. Eh bien ! Par tous les dieux ! C'est ce que j'ai envie de faire… Dis-moi, Socrate
1035 es-tu sérieux ou est-ce que tu t'amuses ? Si tu es sérieux et si tu dis vrai, alors c'est un bouleversement radical de nos existences[93], car à ce qu'il semble, c'est tout le contraire que nous faisons.

SOCRATE. Calliclès, les sentiments des hommes sont identiques. Ce qui diffère, ce sont les objets des sentiments. Si chacun avait des affections étrangères à celles des autres,
1040 alors on ne se comprendrait pas. Prends nous, par exemple : moi j'ai deux amours, Alcibiade[94], fils de Clinias, et la philosophie. Toi, tu aimes le peuple d'Athènes et le fils de Pyrilampès.

Mais il y a une chose que j'ai observée à ton sujet : malgré tes hautes capacités, quand tes amours ont des opinions, tu es incapable de dire le contraire. Quand le peuple d'Athènes
1045 donne son opinion, tu t'y conformes, même chose pour Pyrilampès. Quand ce beau jeune homme exprime des résolutions, tu es incapable de lui résister. Ils peuvent te faire dire ce qu'ils veulent, au point que c'est déconcertant. Et voilà que maintenant tu es tout retourné et sens dessus dessous. Pourtant, je fais pareil moi aussi et je me plie à mon amour de la philosophie pour tenir ce langage. D'ailleurs, la philosophie est un amour
1050 moins volage que l'autre. Chez lui, c'est plutôt [482] tantôt blanc, tantôt noir, tandis que la philosophie est constante.

Mais voilà qu'elle te surprend. Alors, essaie de prouver la fausseté de ce que je disais tout à l'heure : commettre l'injustice et ne pas être puni pour sa faute est le mal suprême. Mais si tu renonces à réfuter cette thèse, alors, par le Chien, dieu des Égyptiens, Calliclès,
1055 c'est que tu ne seras pas cohérent avec toi-même ! Tu seras pour toujours en dissonance avec la philosophie, alors que pour ma part je préfère être fidèle à moi-même, au risque d'être en désaccord avec le monde entier.

---

93. Calliclès comprend que Socrate invite à choisir de vivre selon la morale et non selon les mœurs et l'opinion publique. *Quels principes socratiques fondent ce « bouleversement radical » ? Quelles conséquences aurait un pareil changement dans nos propres vies ?*

94. À cette époque, le plaisir était considéré comme une affaire privée et la bisexualité n'avait pas de connotation morale. Son origine a fait l'objet de multiples études. Platon, dans *Le Banquet*, lui fournit un cadre mythique. Dans le contexte de la discussion entre Socrate et Calliclès, on peut aussi comprendre que l'amour physique symbolise le monde matériel, alors que l'amour de la philosophie est intellectuel. Les deux amours sont en quête de beauté, elle-même désir d'éternité, d'absolu. Alcibiade, enfin, fut un politicien beau, riche et puissant, dont la vie corrompue se termina violemment. *Peut-on appeler « amour » une relation uniquement sexuelle ? Justifier.*

CALLICLÈS ACCUSE SOCRATE DE COMMETTRE UN SOPHISME

CALLICLÈS. Socrate, tu fais plutôt prétentieux dans ton rôle d'orateur populaire! Ton éloquence de place publique vient de ce que Pôlos a fait la même chose que Gorgias.
1060 Gorgias, quand tu l'as interrogé, a affirmé qu'il enseignerait le bien et le juste, sinon il aurait mécontenté les gens. C'est pour cela qu'il a été forcé de se contredire et c'est cela qui t'enchante! Pôlos a commencé par rire de toi, mais maintenant c'est lui qui s'est fait empêtrer dans tes propos pour finir par être d'accord avec toi et dire qu'il est plus laid de commettre l'injustice que de la subir. Tu l'as muselé parce qu'il a eu honte de dire ce
1065 qu'il pensait. Mais ce sont d'insupportables pauvretés d'orateur populaire que tu sors là, en prétendant chercher la vérité.

Tu ne parles pas de ce qui n'est pas beau par nature, mais selon la loi. Or les deux concepts de nature et de loi sont en contradiction l'un avec l'autre[95]. Si on n'a pas l'audace de dire ce qu'on pense, alors c'est sûr qu'on finit par se contredire [483]. Voilà
1070 ta subtile invention et ta malignité: on parle du point de vue de la loi? Tu réponds selon la nature. On prend le point de vue naturel? Tu réponds dans le sens de la loi[96]!

LA THÈSE DE CALLICLÈS: LA JUSTICE EST LA LOI DU PLUS FORT

C'est ainsi que tu as tout de suite procédé à propos de l'injustice commise ou subie. Pôlos parlait de ce qui est le *plus mal du point de vue de la loi* et toi, tu as traqué la loi du point de vue de la laideur *par nature*. Or, selon la nature, le plus laid est aussi le plus
1075 mauvais, soit subir l'injustice. Tandis que, selon la loi, ce qui est le plus mauvais, c'est de la commettre.

Mais vois-tu, ce n'est pas digne d'un homme de subir l'injustice. C'est la condition d'un esclave pour qui il vaut mieux être mort que vivre, quand il n'est pas capable de se défendre des outrages et des injustices. Le malheur est que les lois sont produites par les
1080 faibles qui sont les plus nombreux. Les faibles votent des lois qui les avantagent. Ils s'arrangent pour épouvanter les forts en argumentant que ce qui est laid ou inéquitable est de l'emporter sur autrui. Ils prétendent que l'injustice, c'est chercher à en avoir plus que les autres. Comme ils sont inférieurs, il leur suffit de croire que la justice est l'égalité. Voilà l'argument de la majorité pour désigner ce qui est injuste et laid. [484] Mais du
1085 point de vue de la nature, ce qui est juste, c'est que le fort ait le dessus sur le faible. C'est ce qu'on observe chez les animaux, chez les hommes, dans leurs familles. Ce qui est juste, c'est que le fort, le supérieur commande à l'inférieur et ait plus que lui. C'est la conduite conforme à la nature, comme on voit dans toutes les expéditions militaires.

Par Zeus! En vérité c'est cela la loi naturelle, qui n'a rien à voir avec nos institutions.

---

95. Calliclès évoque la loi du plus fort opposée à la loi selon le droit. Ce thème, toujours d'actualité, était un favori des sophistes. *Trouver, dans le monde moderne, des situations où s'applique la loi du plus fort.*
96. *Quel est le sophisme que Calliclès reproche à Socrate?*

1090 Mais les meilleurs et les plus forts, pris en main dès l'enfance, sont comme des lions en servitude, moulés et réduits à croire que le devoir et l'égalité sont ce qui est beau et juste. Mais s'il apparaît un homme au naturel de chef, tout cela est secoué. Il s'échappe, il foule aux pieds nos formules, nos incantations et ces lois qui sont toutes contraires à la nature. D'esclave insurgé il devient maître. C'est ainsi que resplendit la justice selon la nature[97].

1095 C'est exactement ce que chantait le poète Pindare[98], dont je ne me rappelle pas toutes les paroles, mais il raconte qu'Héraclès a pris les vaches de Géryon[99] sans les payer. L'idée d'Héraclès était que les vaches, comme tous les autres biens, quand ils sont la propriété des faibles, appartiennent en vérité *à ceux qui valent* davantage et qui sont les plus forts[100].

LA PLACE QUE MÉRITE LA PHILOSOPHIE DANS LA VIE

Voilà, en vérité, comment cela se passe et tu l'accepteras si tu renonces à la philosophie[101].

1100 Je conviens que la philosophie a ses agréments, à condition qu'on l'applique avec modération dans la jeunesse. Mais si on lui accorde trop de temps, cela devient ruineux. À passer sa vie d'adulte à philosopher, on n'a aucune expérience de la vie, chose indispensable pour s'accomplir comme homme bien considéré.

C'est un fait que le philosophe perd le sens des lois civiles et des conventions dans les 1105 relations humaines. Il perd même le sens des plaisirs et des passions. Bref, en général, il perd toute expérience des mœurs. Aussi, quand il doit traiter d'affaires pratiques, il fait rire de lui. De même qu'un homme politique fait rire de lui, s'il vient se mêler à nos discussions. C'est d'ailleurs ce que disait Euripide, qui montrait qu'on critique les domaines dans lesquels on n'a pas de talent, alors qu'on vante le sien, croyant faire son 1110 propre éloge.

Faire de la philosophie comme culture[102] [485] n'a rien de déshonorant, mais quand on continue à philosopher alors qu'on est avancé en âge, c'est risible. Vis-à-vis des amateurs de philosophie, j'ai l'impression d'être en face de gens qui parlent comme des gamins. C'est bien de parler avec un enfant de façon enfantine, en gamineries, et je me réjouis de 1115 la liberté de l'enfance. Mais si j'entends un marmot s'exprimer comme une grande personne, cela est odieux à mes oreilles. Cela me donne une impression de servilité. De même, si j'entends un adulte s'exprimer comme un gamin, je le trouve ridicule ; il ne se conduit pas en homme et il mériterait une fessée. J'ai la même impression face à ceux qui font de la philosophie. C'est charmant chez un jeune, car cela lui confère une sorte

---

97. Calliclès pose les principes qui fondent sa position : *Gorgias et Pôlos avaient-ils eux aussi posé leurs principes ?*

98. Étymologiquement, poète dérive de « faire » (des mélodies, des tragédies et des mythes). Pindare fut un poète du VIe siècle av. J.-C. célèbre pour la noblesse de ses mythes et pour son style lyrique.

99. Héraclès et Géryon sont des personnages mythiques. Héraclès, condamné à des travaux gigantesques, tua le monstre géant Géryon ainsi que son chien tout aussi monstrueux pour s'emparer de son troupeau.

100. *Analyser l'argumentation de Calliclès : thèse et arguments.*

101. *Rhétorique contre philosophie : pourquoi s'opposent-elles ?*

102. Deux conceptions de l'enseignement de la philosophie, encore présentes à notre époque, s'affrontent : simple culture générale ou apprentissage de la liberté de pensée, de la cohérence et d'une façon de vivre.

1120 de liberté[103] qui manque à ceux qui n'en ont jamais fait, car on dirait qu'ils ne sauront jamais s'occuper de rien de beau ni de noble. Mais quand c'est un homme d'un certain âge que je vois encore philosopher, comme Socrate, c'est cet homme-là qui mérite des verges! Il ne se comporte plus en homme. Il reste assis dans un coin avec trois ou quatre adolescents à chuchoter sans jamais rien dire de libre, ni de grand, ni de vraiment
1125 suffisant.

Quant à moi, Socrate [486], j'ai beaucoup d'amitié pour toi et j'ai envie de paraphraser Euripide : «Tu ne te soucies pas, Socrate, de ce qu'il faudrait. Tu déformes le naturel généreux de ton âme par des enfantillages. Jamais dans un procès ou dans une délibération tu ne serais capable de faire une argumentation vraiment persuasive et énergique.»
1130 Ne m'en veuille pas! Mes intentions à ton égard sont les meilleures, mais n'as-tu pas honte de philosopher à l'extrême? Ne vois-tu pas que si toi ou un de tes pareils était accusé d'un crime que vous n'auriez pas commis, vous seriez incapables de vous tirer d'affaire[104]? Ne vois-tu pas que, devant un accusateur malveillant, tu resterais là, bouche bée, et tu serais mis à mort, si c'était la peine demandée. Où donc est la *sagesse* là-dedans,
1135 si elle dégrade un homme qui était naturellement doué? Quelle sagesse y a-t-il à ne pas savoir se sauver, à ne pas savoir se défendre quand on est dépouillé par ses ennemis? Quelle sagesse y a-t-il à vivre méprisé dans son propre pays? Crois-moi, abandonne tes bavardages et tes baliverne, occupe-toi de *passer pour un homme de bon sens*[105]! Exerce-toi à l'action, sinon tu vivras dans une maison vide. Imite ceux qui ont des moyens, une
1140 bonne réputation et une foule d'autres biens[106]!

RÉPLIQUE DE SOCRATE

SOCRATE. Suppose, Calliclès, que j'aie une âme en or et que j'aie trouvé une de ces pierres qui permettent de tester si c'est vraiment de l'or. Imagines-tu la joie que j'aurais si, grâce à ce test, je savais que mon âme est vraiment correcte?

CALLICLÈS. Quel est donc ton but, Socrate, en me posant cette question?

1145 SOCRATE. Je veux te le dire, car je pense avoir trouvé une bonne aubaine en te rencontrant.

CALLICLÈS. Et comment donc?

SOCRATE. Parce que, s'il y a des jugements qui nous mettent d'accord, cela prouvera qu'ils sont vrais. [487] Je crois, en effet que la meilleure épreuve à faire subir à l'âme pour
1150 savoir si elle a une vie correcte, c'est de tester trois conditions : le savoir, la bienveillance et le franc-parler[107]. Or, toi, tu réunis ces trois conditions, ce qui est rare. Même Pôlos et

---

103. *Définir cette forme de liberté.*
104. Platon évoque ici le procès de Socrate dont il a reproduit la défense dans son *Apologie de Socrate*. Socrate, accusé de corrompre la jeunesse, fut condamné à mort faute d'accepter de payer l'amende ou d'être exilé.
105. *Que faut-il, selon Calliclès, pour passer pour un homme de bon sens?*
106. *Cette attaque de la philosophie a-t-elle un rapport avec le «bouleversement radical» évoqué plus haut? Justifier.*
107. *Les trois conditions font écho aux trois aspects de l'âme ou mental : la raison, les sentiments et la passion.*

Gorgias, ici présents, ont du savoir et de l'amitié pour moi, mais il leur manque le franc-parler. La preuve en est qu'ils ont fini par se contredire parce qu'ils ont honte de s'exprimer clairement. Toi, tu es très cultivé et tu as de la bienveillance pour moi. J'en

1155 suis sûr, car tu me donnes les mêmes conseils qu'à tes amis. Je sais que vous aviez fondé une association de philosophie, toi, Tisandre, Andron et Nausicydès.

Un jour, je vous ai entendu délibérer sur le point de savoir jusqu'où on doit philosopher. Tu leur as recommandé de ne pas pousser le zèle jusqu'à philosopher en toute rigueur et vous vous exhortiez mutuellement à ne pas philosopher plus qu'il ne faut. Comme c'est

1160 exactement ce que tu viens de me dire, je sais que tu es bien disposé à mon égard. En plus, je connais ton franc-parler et ton langage est cohérent avec tes pensées.

Donc, si nous tombons d'accord sur un point, toi et moi, il aura été assez prouvé. Ni ton savoir, ni ton amitié, ni ta franchise ne pouvant être mis en doute, si nous sommes d'accord, cela mettra un point final à la recherche de la vérité[108].

1165 Je propose donc que nous examinions ton reproche : quel genre d'homme doit-on être ? [488] Que doit-on faire ? Et jusqu'à quel degré, qu'on soit jeune ou moins jeune ? Tu vois, si actuellement je vis d'une façon qui n'est pas correcte, ce n'est pas volontairement, mais par ignorance[109]. Alors, ne te gêne pas ! Dis-moi à quoi je devrais m'occuper et surtout, corrige-moi avec énergie, si dans les prochains jours tu me vois faire le contraire de ce

1170 que j'ai dit et si je t'ai donné raison.

L'OBJECTION DE SOCRATE À L'ARGUMENT DES PLUS FORTS

Mais pour commencer, redis-moi donc ton argument selon lequel la justice naturelle commande au plus fort de ravir les biens des plus faibles. Est-ce que j'ai bien compris que tu as dit que c'est juste que ceux qui valent plus commandent à ceux qui valent moins et que le supérieur doit avoir plus que l'inférieur ?

1175 CALLICLÈS. Exactement ! C'est ce que j'ai dit et je le répète.

SOCRATE. Parles-tu du même homme quand tu mentionnes « le plus fort » et celui qui « vaut le plus » ? Est-ce que ce sont les plus robustes que tu appelles les plus forts, car alors les malingres devraient obéir aux costauds ? Il me semble que c'est cela que tu dis, et qu'il est juste que les grands États, puissants matériellement, se ruent sur les plus petits. Est-

1180 ce que je dois comprendre qu'on ne peut pas être malingre et valoir quelque chose et qu'on ne peut pas être mauvais si on est fort ? J'aimerais que tu définisses « être plus fort » et « valoir quelque chose ».

CALLICLÈS. Eh bien ! Pour être précis, je dirais que ce sont deux concepts identiques !

SOCRATE. Dans ces conditions, ne serait-il pas conforme à la nature que *le plus grand*

---

108. Socrate répète à Calliclès la condition qu'il a déjà imposée à Pôlos pour pouvoir conclure : *quelle est sa valeur logique ?*
109. L'ignorance est un manque d'accord entre ce que commande la raison et ce qu'exigent les désirs.

1185 *nombre* soit plus fort que l'individu, vu que c'est la loi de la majorité[110] qui s'impose à l'individu, comme tu as dit tout à l'heure?

CALLICLÈS. En effet! C'est indéniable!

SOCRATE. Donc les lois du plus grand nombre sont celles des plus forts? Ce sont donc bien les prescriptions de ceux qui valent davantage, si j'ai bien compris ta thèse.

1190 CALLICLÈS. Oui.

SOCRATE. Et les lois des plus forts sont aussi les plus naturelles et les plus belles?

CALLICLÈS. Je l'affirme!

SOCRATE. Mais, le grand nombre ne dit-il pas que la justice est l'égalité et que commettre l'injustice est le plus laid? Dis-moi clairement ce que tu penses: la majorité recommande-

1195 t-elle l'égalité entre les humains ou que certains aient le dessus? La majorité ne dit-elle pas qu'il est plus laid de commettre l'injustice que de la subir? [489] Si tu me donnes ton assentiment là-dessus, ma position sera définitivement consolidée[111]!

CALLICLÈS. Eh bien oui! C'est cela que la majorité admet.

SOCRATE. Si c'est ainsi, on peut conclure que c'est selon la nature[112] qu'il est plus laid

1200 de commettre l'injustice que de la subir, et pas seulement selon la loi. Tu n'as pas dit vrai tout à l'heure quand tu m'as accusé de mettre la discussion sur le terrain de la nature quand mon interlocuteur parle de la loi et vice versa. Si la majorité veut la justice et l'égalité[113], c'est que *la justice et l'égalité sont conformes à la nature et à la loi*; les deux ne sont pas en contradiction.

1205 CALLICLÈS. Quel homme! Jamais il n'en finira de raconter des balivernes! Dis-moi, Socrate, tu ne rougis pas de faire la chasse aux mots et de considérer comme une bonne aubaine les fois où on se trompe d'expression? T'imagines-tu que par « plus forts » je veux dire autre chose que « ceux qui valent davantage »? T'imagines-tu que j'irais penser que les décisions d'un ramassis d'esclaves, de canailles, sont légitimes, sous prétexte que

1210 ce qu'ils ont de plus c'est leur robustesse corporelle?

SOCRATE. Vois donc comment tu t'exprimes très sage Calliclès! Je me doutais bien du tour que prendrait ta définition de « plus fort »! Je questionne parce que je désire être certain de ce que tu veux dire. Bien sûr, tu ne penses pas que tes esclaves valent plus que toi parce qu'ils sont plus robustes! Explique-moi donc comment tu définis « qui valent

1215 davantage », et s'il te plaît, mets un peu plus de douceur dans ta manière d'enseigner, sinon je cesse de fréquenter ton école!

CALLICLÈS. Tu t'amuses à faire l'ignorant, Socrate!

SOCRATE. Non, Calliclès! Je le jure! Dis-moi plutôt qui sont ceux qui valent davantage?

CALLICLÈS. Ce sont ceux qui sont supérieurs.

---

110. La loi du plus grand nombre a été décidée par tous et tous doivent s'y soumettre. La conception égalitaire (*isonomie*) est un renversement de perspective par rapport à la tyrannie. La loi transcende les volontés individuelles. Par sa transcendance, elle s'apparente à la « loi idéale » (l'idée du Bien). On peut aussi la considérer comme l'origine de la notion de « contrat social ».

111. *Peut-on conclure, d'après ces propos, que la position de Platon, défendue par Socrate, est démocratique ou qu'elle est une autre manifestation de l'ironie socratique (se rappeler les paroles de Socrate, plus haut, à propos de la valeur des témoins et de l'opinion de la foule)?*

112. Socrate renverse l'argument de Calliclès: *si la loi du plus fort correspond à la loi du plus grand nombre, est-elle « naturelle »?*

113. L'égalité n'est possible que si nul n'est soumis à personne et que chacun a un même accès à la parole. Elle exige que les questions communes soient discutées en commun.

1220 SOCRATE. Alors, tu ne vois pas que toi aussi tu te paies de mots et que tu ne tires rien au clair ? Veux-tu dire que ce sont les plus intelligents, ou autre chose ?

CALLICLÈS. Eh bien par Zeus ! C'est de cela que je veux parler. Ceux-là, absolument ! [490]

SOCRATE. Donc, d'après ta thèse un seul type intelligent est plus fort que dix mille
1225 dépourvus d'intelligence et c'est lui qui doit commander et avoir plus ? Il me semble que ton intention est de dire qu'un seul est plus fort que dix mille – et attention ! Ne crois pas que je joue sur les mots !

CALLICLÈS. Mais c'est exactement cela que je veux dire ! Celui qui est plus intelligent et qui vaut davantage commande aux inférieurs, possède plus qu'eux et c'est cela la justice
1230 selon la nature.

SOCRATE. Halte ! Je t'arrête, car je veux savoir ce que tu dirais de ce cas-ci : prends-nous ici, plein de gens rassemblés. Nous aurions abondance de manger et de boire. Parmi nous, il y aurait des robustes et des malingres, des gens de toute sorte quoi et un médecin dans le groupe serait plus intelligent que nous. Est-ce que ce serait lui qui vaudrait le plus
1235 et qui serait le plus fort[114] ?

CALLICLÈS. Hé ! Absolument !

SOCRATE. Alors, faudrait-il que sa part soit la plus grosse ? Ou bien ce serait à lui de faire les parts ? Ou, pour sa santé, ne vaudrait-il pas mieux qu'il en ait comme les autres ? Ou encore, s'il est chétif ne faudrait-il pas qu'il ait une toute petite part et, alors, lui qui
1240 vaut le plus aurait le moins ? Qu'en penses-tu mon bon ?

CALLICLÈS. J'en pense que tu parles de boire, de manger, de médecine et autres balivernes !

SOCRATE. Mais alors ? De quoi parles-tu ? N'est-ce pas de la valeur supérieure de celui qui est le plus intelligent ? Oui ou non ?

1245 CALLICLÈS. C'est oui.

SOCRATE. Mais ne faut-il pas qu'il ait davantage, celui qui vaut davantage ?

CALLICLÈS. Si ! Mais pas nécessairement plus de manger et plus de boisson.

SOCRATE. Entendu ! Alors, parlons de vêtement : faudrait-il que l'expert en tissage circule vêtu d'un grand nombre de beaux manteaux ?

1250 CALLICLÈS. À quoi riment ces manteaux ?

SOCRATE. Ou les chaussures ? Le cordonnier, qui est le plus compétent dans ce domaine, devrait-il en avoir de plus grandes et en posséder le plus grand nombre ?

CALLICLÈS. Qu'est-ce que c'est maintenant que cette histoire de chaussures ? Tu t'entêtes à dire des sottises.

---

114. *Comment définir « le plus fort » ? Pour répondre à la question, examiner les étapes de la discussion.* Socrate utilise les réponses de Calliclès pour séparer les notions de « plus fort » de l'« état de nature ». *Noter la similitude des propos avec ceux qui sont employés, maintenant, dans le débat au sujet de l'égalité des hommes et des femmes.*

DE LA PERSUASION – ÉTUDE DU GORGIAS DE PLATON

1255 SOCRATE. Je cherche de quoi tu parles. Le cultivateur, par exemple, qui s'y connaît le mieux en agriculture, est-ce que c'est lui qui devrait avoir le plus de grains ? [491]

CALLICLÈS. Quelle insistance, Socrate, à te répéter. Grands dieux ! Tu n'en finis plus de parler de cordonniers, de cuisiniers, de médecins, comme si c'était de ces gens-là qu'il s'agit !

LE PLUS FORT EST-IL LE CHEF D'ÉTAT INVESTI DU POUVOIR ?

1260 SOCRATE. Alors, toi, finiras-tu par me dire ce qui justifie l'*avoir* et le *pouvoir* de celui que tu appelles le plus fort ?

CALLICLÈS. Mais c'est ce que je fais ! Pour moi les plus forts ne sont ni les cordonniers ni les cuisiniers, mais ceux qui sont les plus intelligents. Ceux qui sont capables d'administrer les affaires de l'État[115], peu importe la façon dont ils s'y prennent. Ils sont **1265** intelligents et ils ont une énergie virile. Ainsi, ils sont capables de mener à bien leurs entreprises, alors que ceux dont l'âme est molle n'ont pas ce courage !

SOCRATE. Ne vois-tu pas, excellent Calliclès, que nous ne nous accusons pas des mêmes choses ? Toi, tu m'accuses de me répéter et moi, je t'accuse de ne jamais dire deux fois pareil ! Tantôt tu définis les plus forts[116] en disant qu'ils sont les plus robustes, puis qu'ils **1270** valent davantage, puis que ce sont les plus intelligents et maintenant tu es en train de dire qu'ils ont le plus de virile énergie[117] ! Alors, mon bon, tu dois tirer cela au clair[118] !

CALLICLÈS. Mais je viens de te le dire ! Ce sont ceux qui mènent les affaires de l'État avec vigueur et énergie. Et c'est juste qu'ils aient l'autorité, et qu'ils aient plus que ceux à qui ils commandent.

LE POUVOIR : SUR AUTRUI OU SUR SOI ?

1275 SOCRATE. De quelle autorité veux-tu parler Calliclès ? De celle que chacun a sur soi-même ? Peut-être penses-tu qu'on n'a pas besoin d'en avoir sur soi, mais qu'on a besoin d'en avoir sur les autres[119] ?

CALLICLÈS. Qu'entends-tu par « avoir de l'autorité sur soi-même » ?

SOCRATE. Rien de compliqué, simplement le contrôle de ses plaisirs[120], de ses passions. **1280** Le propre du sage !

---

115. Introduction du thème de la politique, qui a été évoqué, plus haut, quand il a été question du pouvoir et des tyrans.

116. Socrate souligne l'ambiguïté du concept de force, ce qui lui permet d'aborder le « pouvoir sur soi ou sur autrui ».

117. La « virile énergie », ou vertu, est la force de caractère qui est en rapport avec la conception platonicienne de l'âme. Socrate a ainsi mené la discussion là où il l'entendait : sur le terrain de la politique et de la morale, c'est-à-dire sur le lien indissociable entre la maîtrise de soi et la domination d'autrui.

118. *Si Calliclès ne dit « jamais deux fois pareil » est-ce par ignorance ou parce qu'il a plusieurs arguments ?*

119. Socrate associe la morale à la politique, parce que la violence dans l'exercice du pouvoir est indissociable de la violence des désirs et des passions. *Quelles devraient être les qualités des politiciens ?*

120. La question du plaisir était très débattue par les philosophes de l'Antiquité. Pour Socrate, les plaisirs sont bons à condition de garder le contrôle (tempérance). Ici, il pousse Calliclès à soutenir la position inverse.

CALLICLÈS. Que tu me plais, Socrate ! Ces sages dont tu parles sont des imbéciles !

SOCRATE. Comment ? Tout le monde sait que c'est des imbéciles que je parle !

CALLICLÈS. C'est cela ! Et comment être heureux quand on est esclave ? Ce qui selon la nature est beau et juste, j'ai la franchise de te le dire. Celui qui veut bien vivre sa vie doit
1285 laisser libre cours à ses passions. Il doit mettre ses forces, [492] son énergie et son intelligence à leur service. Il doit satisfaire tous ses désirs au maximum[121]. Mais cela n'est pas accessible au commun des mortels et c'est pourquoi ils blâment les gens de cette trempe-là. La honte les pousse à dissimuler leur impuissance. Ils disent donc que l'érotisme est une vilaine chose et ils vantent la modération parce qu'ils sont incapables
1290 d'atteindre ce niveau de plaisir par manque de virilité. Or, rien n'est plus laid que la modération pour ceux qui, par naissance ou par leur habileté, ont acquis le pouvoir absolu. Eux, qui ont le loisir de jouir de tout ce qui est bon, ils iraient se donner les entraves que la multitude décrète ou condamne ? D'ailleurs, ils se nuiraient, s'ils ne donnaient pas plus à leurs amis qu'aux autres, alors qu'ils ont le pouvoir dans la Cité.
1295 Alors, à toi Socrate, qui prétends poursuivre la vérité, je vais te dire : sensualité, licence, liberté sans réserve, voilà la vertu et le bonheur[122] ! Les conventions contraires à la nature ne sont que du verbiage sans valeur.

LES DÉSIRS SONT INSATIABLES :
CHOIX ENTRE ASCÉTISME ET MODÉRATION

SOCRATE. En effet, Calliclès, pour combattre ma thèse, tu ne manques pas de franchise et tu dis tout haut ce que, sans doute, les autres pensent tout bas, sans oser le dire ! Ne
1300 perds pas ta verve pour me dire très complètement la façon dont il faut vivre. Dis-moi ? Les passions, dont tu dis qu'il ne faut pas les restreindre, c'est cela que tu appelles la vertu[123] ?

CALLICLÈS. C'est cela que je soutiens.

SOCRATE. Donc, on a tort de dire que les gens qui ont peu de besoins sont heureux ?

1305 CALLICLÈS. En effet, car à ce compte, en vérité, les pierres jouiraient d'un bonheur sans égal, ainsi que les morts !

SOCRATE. Mais la vie, telle que tu la conçois, est vraiment terrible ! Cela me rappelle un vers d'Euripide : « Qui sait si vivre ce n'est pas mourir, et si, d'un autre côté, mourir ce n'est pas vivre ? » [493] Peut-être en réalité sommes-nous déjà morts ? J'ai entendu un
1310 des Sages soutenir que notre corps (*sôma*) est notre sépulcre et que la partie de l'âme, où sont les désirs, se laisse séduire et retourner sens dessus dessous. Un homme ingénieux a fait une fable là-dessus et a nommé *pithos* (tonneau) cette partie de l'âme à cause de sa

---

121. *Les forts sont-ils ceux dont les passions et les désirs sont les plus forts ?*

122. Calliclès parodie l'idée socratique qui veut que seule la vertu puisse procurer une vie authentiquement heureuse. *Quels rapports pouvez-vous établir entre le plaisir et le bonheur ?*

123. La vertu est la connaissance du bien et du mal et aussi l'effort vers le bien. Les vertus principales selon Platon sont : la justice, la sagesse, le courage, la tempérance, ainsi que la prudence.

disposition à se laisser emplir. Le *pithos* est grand chez les gens sans jugement, crédules et incapables de garder un secret. Leur âme est comme un tonneau percé qui laisse fuir
1315 tout ce qu'on y met, à cause de l'insatiabilité de leurs désirs. Cette fable soutient le contraire de toi : ceux qui sont les plus malheureux dans l'Hadès[124] sont ceux qui ne peuvent rien garder de ce qu'ils ont reçu. Leur âme est comme une passoire[125]. Je conviens que cette fable est déconcertante, mais elle éclaire mon idée. Encore faut-il que je sois capable de te convaincre qu'une vie réglée est plus heureuse qu'une vie insatiable et
1320 instable. Mais peut-être qu'avec encore beaucoup de fables, je ne parviendrais pas à te faire changer d'avis[126] ?

CALLICLÈS. Ce que tu viens de dire est tout à fait vrai, Socrate !

SOCRATE. Voyons donc ! Voici une autre comparaison. Imagine deux hommes, l'un sage, l'autre sans contrôle de soi. Chacun possède plein de tonneaux remplis de vin, de
1325 miel, de lait… et de denrées chères qu'il est difficile de se procurer. L'homme sage, une fois ses réserves faites, ne s'inquiète plus. Par contre, le deuxième, dont les tonneaux sont percés et pourris, a toujours à se préoccuper de les faire remplir, sous peine de souffrir de pénurie[127].

Si cela illustre les conditions de vie de ces deux hommes, soutiendrais-tu toujours que
1330 la vie de l'homme déréglé est plus heureuse que celle du sage ? Avec cet exemple, est-ce que je te convaincs ou est-ce que je ne te convaincs pas ? [494]

CALLICLÈS. Tu ne me convaincs pas, Socrate ! Celui qui a fait son plein et ne s'en préoccupe plus n'a aucun plaisir. C'est ce que j'ai dit tout à l'heure à propos de la pierre : il ne connaît ni joie, ni peine, or l'agrément de la vie réside dans l'afflux le plus abondant
1335 possible[128].

DISTINGUER ENTRE LES DÉSIRS ET LES PLAISIRS – LA QUALITÉ DES PLAISIRS

SOCRATE. Mais s'il peut y avoir abondance au point de départ, ne peut-il y avoir aussi abondance de grands trous et de grandes fuites ?

CALLICLÈS. Eh ! Absolument.

SOCRATE. Alors, ce n'est pas la condition d'une pierre ou d'un mort, mais celle d'un
1340 pluvier, cet oiseau qui bouffe et qui chie continuellement ! Mais, considérons autre chose :

---

124. L'Hadès (l'invisible) est le domaine sombre et glacé du peuple des morts où les défunts anonymes tombent dans l'oubli de leurs contemporains et eux-mêmes en perdent le souvenir, car leur mémoire s'éteint faute de conscience.

125. L'âme platonicienne est le siège de la pensée (la raison), du courage et des passions. Dans l'âme du juste, ces trois dimensions sont équilibrées. Celle de l'injuste est comme une passoire qui n'a rien retenu parce que ses désirs incessants lui ont fait perdre sa force intérieure ou parce qu'elle ne s'est pas encore réalisée par la connaissance. Cette condition terrifiante est celle d'une âme déjà morte.

126. *Analyser l'argumentation de Socrate : thèse, argument et objection.*

127. Celui qui désire toujours est celui à qui il manque toujours quelque chose ; il ne retient même pas le bonheur qu'il a déjà.

128. *Êtes-vous d'accord avec Calliclès : l'agrément de la vie dépend-il du flux d'abondance ?*

tu parles bien des sensations comme avoir faim et manger? Et du rapport entre soif et boire[129]?

CALLICLÈS. Bien sûr! Et de bien d'autres désirs encore puisque le bonheur vient lorsqu'on les assouvit.

1345 SOCRATE. Ah! Parfait, ô meilleur des hommes, continue comme tu as commencé et ne te gêne pas pour dire le fond de ta pensée. Dis-moi donc si pour celui qui a la gale et qui souffre de démangeaisons le bonheur est de se gratter encore et encore?

CALLICLÈS. Quelle extravagance, Socrate! Tes façons sont vraiment vulgaires!

SOCRATE. Ah! C'est donc pour ça que j'ai tant troublé Pôlos et Gorgias! Mais à toi cela
1350 ne risque pas de t'arriver puisque tu es un orateur énergique et viril. Allons! Réponds seulement à ma question…

CALLICLÈS. Eh bien! J'affirme que même à se gratter ainsi, on vivrait agréablement!

SOCRATE. Et si c'est agréable, peut-on dire aussi que cela soit du bonheur?

CALLICLÈS. Hé! Absolument.

1355 SOCRATE. Est-ce que c'est ainsi si c'est juste la tête qui démange? Mais bon… Peu importe, je vais te poser la question capitale que voici: la vie du débauché le plus ignoble n'est-elle pas abominable, laide et malheureuse? Ou bien auras-tu l'audace d'affirmer qu'il est heureux s'il possède ce qu'il convoite?

CALLICLÈS. Tu n'as pas honte, Socrate, d'amener la discussion sur un pareil terrain?

1360 SOCRATE. Moi? Mais n'est-ce pas plutôt toi qui affirmes sans vergogne que jouir de n'importe quel plaisir, c'est le bonheur? Sans distinguer les bons et les mauvais plaisirs[130]? [495] Dis-moi donc si pour toi le bon et l'agréable sont identiques? Ou bien parmi les choses agréables y en a-t-il des bonnes et des mauvaises?

CALLICLÈS. Eh bien, voici! Selon ce que je sens, si je dis qu'ils sont distincts, c'est qu'ils
1365 sont identiques.

SOCRATE. Attention Calliclès!, car si tu ne dis pas ce que tu penses tu vas te contredire, et nous ne pourrons plus réfléchir ensemble[131]!

CALLICLÈS. Toi aussi Socrate! Tu malmènes ce qu'on a dit!

SOCRATE. Si je le fais! Eh bien, j'ai tort! Et toi aussi! Réfléchis donc un peu plus,
1370 bienheureux Calliclès, que le bien ne se résume peut-être pas au seul fait de jouir. Sans quoi le bien pourrait se réduire aux actions les plus honteuses que j'ai évoquées. Peux-tu vraiment prétendre cela?

CALLICLÈS. Oui, ma foi!

SOCRATE. Alors! Si tu parles sérieusement, continuons à discuter. Dis-moi clairement
1375 s'il y a quelque chose que tu appelles « savoir »?

CALLICLÈS. Mais oui!

---

129. *Pour bien comprendre les propos de Socrate, revoir le dialogue avec Pôlos, où sont distingués « faire ce qu'on veut » et « faire ce qu'on juge bon ». Il est aussi suggéré de faire l'exercice suivant: écouter l'expression « je veux » dans les conversations et distinguer l'expression du désir de celle de la volonté. Est-il possible que désir et volonté s'opposent?*

130. *Essayer d'établir deux listes: une pour les bons plaisirs, l'autre pour les mauvais avec leur influence sur l'âme.*

131. *Socrate a-t-il réussi à mettre Calliclès en contradiction, comme il l'a fait avec Gorgias et Pôlos?*

SOCRATE. Est-ce que tu as mentionné aussi qu'il était associé à une sorte d'énergie virile, mais que ce sont deux choses distinctes n'est-ce pas ?

CALLICLÈS. Oui, absolument.

1380 SOCRATE. Et maintenant, est-ce que « plaisir » et « savoir » sont aussi des idées distinctes ?

CALLICLÈS. Distinctes, sans aucun doute, ô toi ! Parangon de la sagesse !

SOCRATE. N'oublions surtout pas ceci : Calliclès du *dème*[132] Acharnes soutient que le plaisir est le bien, mais que le savoir, l'énergie et le bien sont différents[133] !

LE PLAISIR EST-IL IDENTIQUE AU BIEN ?

CALLICLÈS. Ma foi, oui !

1385 SOCRATE. Examinons les contraires, comme la maladie et la santé. Sans doute, il est impossible d'être simultanément bien portant et souffrant[134] !

CALLICLÈS. Que veux-tu dire ?

SOCRATE. Vas-y pas à pas. [496] Prends les yeux, par exemple : une ophtalmie est une pathologie des yeux. Or il est impossible qu'un œil soit en même temps malade et en 1390 bonne santé.

CALLICLÈS. En effet ! En aucune manière.

SOCRATE. Si on guérit, on ne se débarrasse pas en même temps de la bonne santé, n'est-ce pas ? Ce serait une absurdité de dire qu'on se débarrasse des deux en même temps ! On ne peut connaître la maladie et la santé que tour à tour et non simultanément. C'est 1395 la même chose pour tous les contraires. Le bien et le bonheur, le mal et le malheur : on vit ces contraires, tour à tour, puisqu'ils ne sont pas durables ?

CALLICLÈS. Cela n'est pas douteux.

SOCRATE. Le bien et le mal ne peuvent pas se produire ensemble. Considère bien cette idée et revenons au point sur lequel nous étions d'accord. La faim est-elle agréable ou 1400 pénible ?

CALLICLÈS. La faim, en tant que telle, est pénible, mais manger quand on a faim est agréable !

SOCRATE. Je comprends. C'est la faim seule qui est pénible. Et la soif ? Dois-je poser d'autres questions, ou es-tu d'accord que tout manque, tout désir, est pénible ?

1405 CALLICLÈS. Je te l'accorde ! Dispense-moi de tes questions !

SOCRATE. Donc, arrêter une souffrance est agréable et combler un manque est un plaisir ! Alors, vois-tu la conséquence de tout cela ? Est-il possible que le même rapport souffrance-jouissance puisse avoir lieu aussi dans l'âme ? En tout cas, moi, je le pense.

---

132. Le dème était une division administrative humaine et territoriale, rurale ou urbaine. L'appartenance au dème faisait partie de l'état civil des citoyens. Ce mot fournit la racine à *démocratie*.

133. Socrate résume la position de Calliclès qu'il va réfuter dans la section suivante.

134. *Examiner la structure du paragraphe, typique de la méthode dialectique, pour y repérer : 1) la position de la thèse, 2) l'énoncé de principe, 3) l'étude des contraires, 4) le passage du monde sensible au monde de l'esprit, 5) la conséquence et la mise en contradiction de l'interlocuteur, 6) le détour par un exemple concret propre à faire saisir que la contradiction dépend de la représentation duelle de la vie (corps, esprit), 7) la conclusion.*

CALLICLÈS. Oui, cela se peut!

1410 SOCRATE. Pourtant, tu as soutenu tantôt qu'on ne peut pas avoir en même temps bonheur et malheur. Et maintenant tu affirmes qu'on peut éprouver une jouissance pendant qu'on a du désagrément. [497]

CALLICLÈS. Évidemment!

SOCRATE. Donc, ce n'est pas le plaisir qui donne du bonheur, et le désagrément ne rend 1415 pas malheureux. En conclusion, l'agréable est distinct du bien!

CALLICLÈS. Je ne sais vraiment pas où tu vas chercher toutes ces subtilités, Socrate!

SOCRATE. Tu le sais fort bien, Calliclès! Mais tu fais semblant de ne pas le savoir. Mais continuons, afin que tu saches à quel point tu es sage de me gronder! Quand on apaise sa soif, on cesse de souffrir et on cesse d'avoir du plaisir, non?

1420 CALLICLÈS. Je ne sais pas ce que tu veux dire!

GORGIAS. Ah non, Calliclès! Pas de ça! Réponds, dans notre intérêt à tous, et finissons la discussion.

CALLICLÈS. Mais, Gorgias! Socrate fait toujours ainsi: il pose des questions insignifiantes et finit par confondre celui qu'il interroge!

1425 GORGIAS. Que t'importe? D'ailleurs, ce n'est pas à toi d'en juger. Laisse à Socrate la tâche de confondre son interlocuteur à sa façon!

CALLICLÈS. Bon! Alors, pose-les-moi tes questions ridicules, puisque même Gorgias juge qu'il faut en passer par-là!

SOCRATE. Tu es un homme heureux, Calliclès, d'avoir été initié aux grands Mystères[135] 1430 avant de l'être aux petits! Je pensais que ce n'était pas permis! Mais reprenons au point où tu voulais abandonner: est-il possible que s'arrêtent simultanément la soif et le plaisir de boire?

CALLICLÈS. C'est possible!

SOCRATE. C'est donc ainsi pour tous les désirs où la cessation du plaisir accompagne la 1435 cessation du manque. Alors, l'arrêt de la peine et du plaisir sont simultanés; ce qui contredit ce que tu disais tout à l'heure, qu'il n'est pas possible que les biens et les maux s'arrêtent en même temps.

CALLICLÈS. Bon! Et puis après?

SOCRATE. Après mon bon? Cela veut dire qu'il n'y a pas identité entre bon et agréable, 1440 d'un côté, et mauvais et désagréable, de l'autre. Agréable et désagréable ne peuvent pas être simultanés, ni bon et mauvais, car ce sont des termes hétérogènes. Il n'est pas pertinent d'identifier agréable et bon, ni désagréable et mauvais.

Mais considérons encore la question sous un autre jour – quoique je ne crois pas que tu sois d'accord. Réfléchis bien: si tu considères que quelqu'un est bien, c'est parce qu'il y a 1445 en lui quelque chose de bon, ou si tu trouves que quelqu'un est beau, c'est parce qu'il y a en lui de la beauté, non?

CALLICLÈS. Mais si! C'est ce que je fais!

DE LA PERSUASION – ÉTUDE DU GORGIAS DE PLATON

---

135. Les Mystères étaient des rites religieux associés au culte de certains dieux ou déesses.

SOCRATE. Mais quoi? Pourrais-tu appeler gens de bien les crétins et les lâches, puisque par opposition tu traitais de bons ceux qui sont intelligents et énergiques?

1450 CALLICLÈS. Pas du tout! [498]

SOCRATE. As-tu déjà vu un idiot dénué d'intelligence et de raison se réjouir?

CALLICLÈS. Oui, mais à quoi tout ça rime-t-il?

SOCRATE. À rien, mais réponds quand même!

CALLICLÈS. J'en ai vu!

1455 SOCRATE. As-tu aussi vu un homme de bon sens avoir de la peine et se réjouir? Et qui a le plus de peine ou le plus de plaisir? Ceux qui ont du jugement ou ceux qui n'en ont pas?

CALLICLÈS. Selon moi, ça ne fait pas une grande différence.

SOCRATE. Sur ce point, cela me suffit. Mais à la guerre, as-tu déjà vu un lâche?

1460 CALLICLÈS. Comment n'en aurais-je pas vu?

SOCRATE. Quand l'ennemi recule, dis-moi: qui se réjouit le plus, les braves ou les lâches?

CALLICLÈS. Ils s'en réjouissent autant, mais pas pour les mêmes raisons.

SOCRATE. Donc les lâches se réjouissent eux aussi! Les idiots aussi probablement! Mais

1465 quand l'ennemi avance, les lâches sont-ils les seuls à avoir de la peine ou bien les braves en ont-ils aussi?

CALLICLÈS. Les deux en ont! Les lâches en ont probablement davantage.

SOCRATE. Et pourtant, ils ont aussi sans doute plus de joie quand l'ennemi recule?

CALLICLÈS. C'est probable!

1470 SOCRATE. Si je résume ce que tu dis, les sensés et les crétins, les lâches et les braves ont de la peine et se réjouissent de façon sensiblement égale, quoique les lâches, un peu plus, n'est-ce pas[136]? Pourtant ne dit-on pas que les intelligents et les braves sont bons, tandis qu'on dit mauvais les crétins et les lâches?

CALLICLÈS. Oui.

1475 SOCRATE. Alors cela veut-il dire que les bons et les mauvais peinent ou ont du plaisir dans une mesure très voisine? Alors, les bons et les mauvais sont bons et mauvais dans une mesure très voisine aussi?

CALLICLÈS. Mais par Zeus! Je ne sais pas de quoi tu parles!

SOCRATE. Tu ne sais pas que, selon tes propres déclarations, les bons le sont par la

1480 présence du bien, et les mauvais, par celle du mal? Et que pour toi c'est le plaisir qui est bon, et les désagréments, mauvais?

CALLICLÈS. Si! C'est mon avis!

SOCRATE. Alors, si quelqu'un a du plaisir, c'est qu'il a en lui du bien, le plaisir, n'est-ce pas?

1485 CALLICLÈS. Comment le nier?

SOCRATE. Alors, ces gens qui se réjouissent sont donc bons aussi?

---

136. *Chercher des exemples actuels de comportements décrits par Socrate.*

CALLICLÈS. Oui!

SOCRATE. Quant aux gens qui subissent des désagréments, il y a en eux des choses mauvaises et donc ils sont mauvais? Affirmes-tu cela?

1490 CALLICLÈS. Je l'affirme!

SOCRATE. Donc, les bons sont ceux qui se réjouissent et les mauvais ceux qui ont des peines! Iras-tu jusqu'à dire que plus on a de peine, plus on est mauvais et que plus on a de plaisir, plus on est bon[137]?

CALLICLÈS. Certainement!

1495 SOCRATE. De plus, tu as déjà affirmé que la réjouissance et la peine des braves et des lâches, des intelligents et des crétins étaient sensiblement voisines! [499] Alors, il est temps de récapituler un peu les points sur lesquels nous sommes d'accord. Tout d'abord que le vaillant et l'intelligent sont bons et que le lâche et le crétin sont mauvais. C'est cela? Puis que celui qui a du plaisir a du bon et que celui qui a de la peine a du mauvais;

1500 encore d'accord?

CALLICLÈS. Hé! Absolument.

SOCRATE. Enfin, tu dis aussi que tous sont capables d'éprouver du plaisir et de la peine; les lâches, d'ailleurs, peut-être plus que les autres.

CALLICLÈS. Oui.

1505 SOCRATE. Mais vois-tu que la conséquence de tout cela est que le mal devient mauvais *et* bon et que la même confusion vaut pour le plaisir et le bien. C'est ce qu'il faut conclure quand on ne distingue pas le bien et le plaisir[138]. N'est-ce pas nécessaire de conclure ainsi, Calliclès[139]?

L'UTILE[140] EST-IL IDENTIQUE AU BIEN?
COMMENT DEVONS-NOUS VIVRE?

CALLICLÈS. Voilà assez longtemps que je t'écoute, Socrate, et que je te fais des concessions.
1510 Et toi, tu te précipites comme un jeunot sur ce qui semble être mon assentiment! Tu suis ton idée sans tenir compte que, comme bien d'autres, je tiens certains plaisirs pour meilleurs que d'autres.

SOCRATE. Bravo, Calliclès! Tu es un peu drôle de me traiter comme un petit garçon en me disant qu'une chose est comme ceci, puis comme cela, pour me tromper. Et je croyais
1515 que tu étais mon ami! C'est maintenant que tu annonces qu'il y a des plaisirs qui sont bons et d'autres qui sont mauvais?

CALLICLÈS. Oui!

SOCRATE. Considères-tu que les bons plaisirs sont utiles, et les mauvais, dommageables?

CALLICLÈS. Hé! Absolument.

---

137. *Expliquer l'absurdité de la conclusion que Socrate a tirée des propos de Calliclès.*
138. On ne peut pas définir le bien par le plaisir, si les lâches et les vulgaires en ont plus que les braves.
139. *Reformuler le raisonnement de Socrate sous forme de discours argumentatif discursif.*
140. Seule la connaissance vraie peut déterminer ce qui est utile (pour le mental, pour l'âme).

1520 SOCRATE. Penses-tu ainsi aux plaisirs du corps, comme le manger et le boire? Les bons plaisirs sont-ils ceux qui favorisent la santé, et les mauvais, ceux qui la détériorent?

CALLICLÈS. Exactement!

SOCRATE. Et pour les douleurs? Y en a-t-il des bienfaisantes et d'autres qui sont fâcheuses?

1525 CALLICLÈS. On ne peut pas le nier, en effet!

SOCRATE. On a donc intérêt à choisir les plaisirs bienfaisants et non les fâcheux.

CALLICLÈS. C'est bien clair.

SOCRATE. Tu te rappelles que Pôlos et moi avons convenu qu'on doit tout faire en vue des bonnes choses, sans exception. Conviens-tu, toi aussi, que le bien est la finalité de **1530** tous nos actes[141] et que tout doit être fait avec cet objectif en tête? On ne fait pas le bien en vue d'autre chose, mais on doit faire toute chose en vue du bien [500]: te joins-tu à Pôlos et moi?

CALLICLÈS. Entendu!

SOCRATE. Donc, le plaisir doit servir au bien et non le bien au plaisir. Mais les hommes **1535** ont-il tous le pouvoir de choisir parmi les choses agréables celles qui sont bonnes et de rejeter les mauvaises, ou cela exige-t-il une compétence?

CALLICLÈS. Oui, il vaut mieux faire appel à quelqu'un de compétent.

SOCRATE. Souvenons-nous de ce que j'ai dit à Pôlos et à Gorgias. Dans certains plaisirs, on n'a pas à se soucier des effets, bons ou mauvais, alors que d'autres, comme le manger, **1540** l'exigent. Au nom du Zeus de l'Amitié, Calliclès, ne t'amuse pas à mes dépens et écoute-moi avec le plus grand sérieux, avant de répondre. La question dont nous nous occupons est la plus sérieuse, même pour les gens qui réfléchissent peu: Quelle doit être notre manière de vivre[142]?

Est-ce que tu m'invites à vivre à ta façon[143]? À pratiquer l'art oratoire, à m'acquitter de **1545** mes fonctions publiques, à prendre la parole à l'Assemblée du peuple? Ou bien dois-je vivre selon la philosophie[144]? Qu'est-ce qui différencie ces deux genres de vie? Le mieux est sans doute d'examiner leurs caractéristiques pour déterminer lequel est préférable. Mais, peut-être ne sais-tu pas très bien ce que je veux dire?

CALLICLÈS. Certes non!

1550 SOCRATE. Bon! Je vais être plus clair, puisque nous sommes d'accord pour ne pas confondre le bien et l'agréable[145]. Je vais continuer, selon la même méthode que tantôt, avec Pôlos et Gorgias; si mon détracteur est d'accord avec moi, c'est la preuve que je dis vrai.

---

141. *Étudier les termes qui constituent les deux groupes de concepts: bien, bonheur, beau, agréable, utile et mal, malheur, désagréable.* Les penseurs de l'Antiquité admettaient tous que la finalité de la vie est la recherche du bonheur (eudémonisme): pourtant, la position de Socrate diffère de celle de Calliclès: *pourquoi?*

142. La question de Socrate est *la* question philosophique: elle est discipline de connaissance et discipline de vie de la personne comme citoyen et comme individu. Par opposition, pour les sophistes et les orateurs, la philosophie n'est qu'un vernis culturel et une source d'arguments de persuasion, sans implication morale.

143. *N'est-ce pas plutôt Socrate qui va inviter Calliclès à changer sa conception de sa vie? Relever, dans la suite du dialogue, la conception de la vie juste, selon Socrate.*

144. Pour Platon, le rôle de la philosophie est de contrôler la parole, soit d'empêcher la rhétorique de devenir un instrument de manipulation des consciences au détriment de la vérité et de la justice quand elle s'adresse à l'imbécillité et non à l'intelligence.

145. *Qu'est-ce qui est utile? Le bien ou l'agréable? Ce qui plaît ou ce qui a de la valeur?*

RETOUR SUR LA FLATTERIE ET SUR LA RHÉTORIQUE[146]

Revenons à l'analogie de la cuisine et de la médecine. [501] La médecine est un art, qui
1555 détermine des relations de causes à effets par le raisonnement. La cuisine, elle, ne s'occupe
que du plaisir, d'une manière qu'on pourrait qualifier d'irrationnelle.

Transposons à l'âme ces réflexions : y a-t-il un art pour améliorer l'âme ? Y a-t-il des
activités qui ne s'occupent que de son plaisir, bon ou mauvais ? Selon moi, Calliclès, il
existe des activités et des façons de vivre qui flattent et séduisent le corps et l'âme pour
1560 le plaisir, sans considérer leur valeur. Es-tu d'accord ?

CALLICLÈS. Non, je ne suis pas d'accord, mais je vais convenir du contraire pour faire
aboutir la discussion et pour faire plaisir à Gorgias.

SOCRATE. Alors, je te demande s'il existe plusieurs plaisirs de l'esprit, bons ou non.

CALLICLÈS. Il y en a beaucoup des deux sortes !

1565 SOCRATE. Voici des exemples et à toi de les juger. Un concert de flûtes est-il destiné au
simple plaisir ?

CALLICLÈS. C'est mon avis.

SOCRATE. Bon ! Je suppose que c'est la même chose pour la cithare et pour toutes les autres
musiques[147]. Je suppose aussi que c'est pareil pour les chorales, les concours de poésie et les
1570 représentations théâtrales. Les réalisateurs de spectacle, à ton avis, s'occupent-ils de *l'amé-
lioration du public ou seulement de lui plaire*[148] ? [502]

CALLICLÈS. Écoute, Socrate ! Cela est évident ! Ils veulent plaire à leur public !

SOCRATE. Les drames et les tragédies visent-ils le même résultat : donner du plaisir aux
spectateurs ? Car enfin, quelques fois on y trouve des propos qui sont funestes ou con-
1575 traires au public ; sont-ils prévus pour être utiles ou pour plaire ?

CALLICLÈS. Manifestement, Socrate, c'est le plaisir qui est visé et les applaudissements.

SOCRATE. Cela ne rejoint-il pas ce que nous disions tout à l'heure à propos de la
flatterie ?

CALLICLÈS. Hé ! Absolument.

1580 SOCRATE. Ne nous arrêtons donc pas ! Ne gardons que les paroles, sans la musique[149].
Elles s'adressent à la foule et relèvent donc de l'éloquence et par conséquent de l'art
oratoire, n'est-ce pas ?

CALLICLÈS. C'est bien mon avis !

---

146. Platon a donc défini la rhétorique comme technique (de communication) et comme instrument du pouvoir. Le dialogue se
situe désormais sur les plans de la morale et de la politique : les devoirs des hommes d'État, l'ordre et l'organisation dans l'État,
l'éducation qui doit mener le citoyen à régler ses désirs sur les intérêts de l'État. Postérieurement à Platon, Aristote a développé
l'analyse logique des genres de rhétorique et de leurs procédés.

147. « Musique » dérivée de « Muse » désigne tous les arts d'inspiration.

148. *Examiner, à la manière critique de Socrate, des exemples du « spectacle » des médias contemporains. Quelles sont les conséquences
de l'omniprésence du spectacle ?*

149. Par conséquent uniquement le contenu du discours.

SOCRATE. Nous avons donc découvert une forme d'art oratoire qui s'adresse à tous les publics, femmes, enfants, esclaves aussi bien qu'hommes libres[150]. Tous peuvent le comprendre, mais je ne l'aime guère, car il est une sorte de flatterie[151].

RHÉTORIQUE ET POLITIQUE : ATTAQUE CONTRE LES HOMMES D'ÉTAT

Que pouvons-nous en penser ? Est-ce que, à ton avis, ce sont des formes de rhétorique qui ont pour but d'améliorer les citoyens d'Athènes ? Les réalisateurs de spectacle ont-ils pour seul souci de plaire ? Leur intérêt pour distraire les gens leur fait-il oublier l'intérêt du public ? [503]

CALLICLÈS. Ce n'est pas une question simple que tu me poses là, car il y a des orateurs qui s'inquiètent de leurs concitoyens et d'autres non.

SOCRATE. Cela suffit ! Nous voici devant une nouvelle dualité : d'un côté, une affaire d'éloquence politique, qui est laide, de l'autre, une forme de discours qui cherche à rendre plus belles les âmes des citoyens, en disant toujours la vérité, que cela soit agréable à entendre, ou pas. Mais toi ? As-tu déjà rencontré cette sorte d'orateur[152] ? Si c'est le cas, peux-tu m'en parler ?

CALLICLÈS. Par Zeus ! Parmi les orateurs d'aujourd'hui, je ne crois pas pouvoir t'en citer un seul !

SOCRATE. Et parmi ceux du passé, penses-tu qu'il y en a eu au moins un qui, grâce à ses discours, a aidé les Athéniens à devenir meilleurs ?

CALLICLÈS. Oui ! Thémistocle, Cimon, Miltiade. Périclès, qui est mort depuis peu et que tu as écouté toi-même.

SOCRATE. Alors, ceux-là auraient aidé à combler autant leurs désirs que ceux de leur public ? Sans oublier que nous avons distingué les désirs qui rendent meilleurs de ceux qui rendent pires ; que certains aient eu cet art me laisse sans voix.

CALLICLÈS. Cherche comme il faut, tu vas trouver !

---

150. Les orateurs méprisent le public, mais le séduisent pour obtenir sa complicité. Le public, aliéné par le plaisir du spectacle se contente de peu. *Chercher des exemples d'orateurs et d'amuseurs publics qui flattent l'auditoire en excitant ses bas instincts, ainsi que des exemples qui montrent que « voir » et « être vu » sont des thèmes actuels.*

151. Cette rhétorique n'est ni une science ni une technique productrice de biens d'usage. Utilisée pour plaire, elle crée l'illusion en mêlant les apparences et la réalité, et néglige les causes et les effets (du bien et du mal).

152. La définition de la rhétorique est close. Il s'agit à présent d'examiner ceux qui la pratiquent : les orateurs. *À notre époque, les politiciens engagent des rédacteurs de discours : cette réalité renforce-t-elle la position de Socrate ?*

SOCRATE. Bon, alors considérons la chose froidement : si parmi ceux que tu as nommés il y a eu un homme de bien qui visait la vertu, c'est qu'il ne parlait pas au hasard. Il avait

1610 un but bien précis – comme d'ailleurs tous les professionnels : les architectes, les constructeurs de bateaux et les autres. Ils procèdent avec ordre, organisent toutes les parties jusqu'à constituer une œuvre complète [504]. Même les maîtres de gymnastique et les médecins procèdent ainsi, considérant le corps dans sa totalité[153]. Es-tu d'accord ?

CALLICLÈS. Mettons !

1615 SOCRATE. C'est une conception méthodique qui fait qu'une maison est bonne à habiter. Pareillement pour un bateau et pour les soins du corps. Et de l'âme, que pouvons-nous dire ? Pour qu'elle réalise sa pleine valeur, ne faut-il pas qu'on ait procédé avec ordre ?

CALLICLÈS. Si on prend tout ce qui précède, on est forcé de l'accorder.

SOCRATE. Comment nommes-tu l'état du corps bien traité avec ordre et méthode ?

1620 CALLICLÈS. Tu veux parler, sans doute, de la vigueur et de la santé ?

SOCRATE. Eh bien ! Essaie donc de donner un nom à l'état analogue, quand il s'applique à l'âme.

CALLICLÈS. Pourquoi ne le nommes-tu pas toi-même ?

SOCRATE. Eh bien ! Si ça te fait plaisir, je vais te le dire et si tu n'es pas d'accord, réfute-

1625 moi. La *santé* résulte de ce qui est *sain* dans le corps. Ce qui facilite la *santé de l'âme*, c'est tout ce qui est *légitime* et en conséquence ce qui réfère à la *loi*, car une personne correcte respecte la *légalité* et a une conduite ordonnée ; c'est ce qu'on appelle justice et tempérance. D'accord[154] ? [505]

CALLICLÈS. Admettons !

1630 SOCRATE. L'orateur doit avoir ces deux qualités s'il a pour objectif de rendre les âmes meilleures. Pour avoir la compétence de moralité, il doit être juste et tempérant en paroles et en actions. Ses discours doivent avoir pour but de sortir des gens l'incontinence et l'injustice en cherchant à augmenter leur sens de la justice et de la modération. En conviens-tu ?

1635 CALLICLÈS. J'en conviens.

SOCRATE. Revenons à l'analogie du corps : il n'y a aucun intérêt pour quelqu'un qui est mal portant à consommer abondance de nourriture et de boisson, ce qui empirerait sa condition. Quand le corps est malade, c'est toute la vie qui est fâcheuse. Le médecin est le premier à autoriser qu'on mange et boive tout ce dont on a envie quand on est en

1640 bonne santé, mais à l'interdire aux malades. De cela, conviens-tu aussi ?

CALLICLÈS. Oui, moi aussi.

---

153. L'ordre et la bonne organisation assurent l'excellence d'une œuvre, quelle qu'elle soit : par ces exemples, Platon suggère les Idées, que seule l'intelligence peut comprendre ; elles sont la « structure » de la réalité.

154. Platon établit ici une analogie essentielle pour sa pensée politique : la tempérance est au corps ce que la loi et l'ordre sont au corps social ; il n'y a pas de rupture entre la morale et la politique. *Mettre en évidence les termes de cette analogie dans les prochains paragraphes.*

SOCRATE. Et concernant l'âme maintenant ? Si sa condition est misérable, parce qu'elle est inintelligente, débauchée, impie, injuste[155]… Ne faut-il pas restreindre ses désirs, pour que son état s'améliore ? Qu'en penses-tu ?

1645 CALLICLÈS. J'approuve.

SOCRATE. Contrairement à ce que tu croyais tout à l'heure, il vaut donc mieux que l'âme soit restreinte, plutôt qu'entraînée au laisser-aller ?

CALLICLÈS. Je ne comprends rien à tes questions, adresse-les plutôt à quelqu'un d'autre !

SOCRATE. Tiens, tiens ! Voilà un homme qui ne supporte pas qu'on lui soit utile en lui 1650 appliquant le sujet de notre conversation : se restreindre[156] !

CALLICLÈS. Plus même ! Tout ce que tu dis m'est complètement égal. C'est pour faire plaisir à Gorgias que je t'ai répondu.

SOCRATE. Alors ? Qu'allons-nous faire ? Arrêter l'entretien avant qu'il soit fini ?

CALLICLÈS. À toi d'en décider !

1655 SOCRATE. On dit qu'il n'est pas permis d'arrêter une histoire avant la fin, sinon elle continue à circuler sans tête ! Interroge-moi donc encore un peu pour que notre discussion ait sa tête[157].

CALLICLÈS REFUSE DE DISCUTER
ET SOCRATE FAIT LE BILAN DU DIALOGUE

CALLICLÈS. Socrate, tu es un vrai forcené ! Tu ferais mieux de planter là cet entretien ou de te chercher un autre interlocuteur, ou de développer ta thèse tout seul. Ne pourrais-tu 1660 faire toi-même les questions et les réponses ?

SOCRATE. Bon ! Si c'est ainsi, c'est que, moi seul, j'en vaux deux ! Mais, il faut au moins que nous ayons tous le désir de mieux comprendre le problème, car la vérité est un bien commun. [506]

Je vais donc vous expliquer mon point de vue et si quelqu'un juge que je dis des 1665 faussetés, il faut qu'il me réfute, car je n'ai pas la prétention de tout savoir ! Bien au contraire ! Comme chacun d'entre nous ici, je cherche et je suis prêt à m'incliner devant toute objection valable. Mais encore faut-il que vous soyez d'accord pour qu'on en finisse avec cette discussion !

GORGIAS. Il me semble que nous n'avons pas encore envie de nous en aller. Poursuis 1670 donc l'exposé de ta thèse, moi-même, je suis le premier intéressé à t'écouter !

SOCRATE. Sais-tu Gorgias, j'aurais bien aimé continuer à discuter avec Calliclès ! En tout cas, Calliclès, si tu ne veux plus continuer, au moins arrête-moi si tu penses que je dis quelque chose qui n'est pas bien. Je ne t'en voudrai pas du tout, contrairement à toi ! Si tu me rectifies, je t'inscrirai en haut de la liste de mes bienfaiteurs.

---

155. *Reformuler ces maux de l'âme en les adaptant au vocabulaire et aux circonstances de l'époque contemporaine.*
156. *De quoi Socrate parle-t-il au juste ? Chercher des exemples personnels.*
157. Un discours était souvent considéré comme un être vivant, avec une tête, un corps et des pieds.

1675 CALLICLÈS. Parle donc tout seul et finis-en[158] !

SOCRATE. Alors, écoute-moi. Je vais reprendre notre discussion dès le début. Calliclès et moi avons convenu que « bon » et « agréable » ne sont pas identiques. La question se pose alors de savoir si le bon sert à réaliser l'agréable ou si c'est l'agréable qui doit réaliser le bon. La présence de l'agréable procure du plaisir, tandis que la présence du bon en 1680 nous nous rend bon, c'est-à-dire qu'il facilite une certaine excellence. Sur ce point, Calliclès s'est forcé pour donner son accord. Or, pour faire apparaître cette excellence, cette perfection, dans le corps, dans l'âme, ou dans l'ensemble d'un être vivant, il faut de l'ordre et de la méthode ; cela ne vient pas par hasard ! Voilà ma thèse !

C'est ainsi qu'une âme se réalise et devient bonne et qu'elle surpasse une âme 1685 désordonnée. C'est une discipline et on peut conclure qu'une âme rangée est meilleure qu'une âme qui ne l'est pas. [507] On peut dire qu'elle est sage. Jusqu'ici, j'ai résumé notre discussion. Calliclès ! Ajoute quelque chose si tu veux !

CALLICLÈS. Parle toujours mon bon !

JUSTICE, SAGESSE ET BONHEUR : BASES MÉTAPHYSIQUES[159] ET CONSÉQUENCES DE LA POSITION DE SOCRATE

SOCRATE. Je parle donc ! Si une âme rangée est une âme bonne et sage, le contraire est 1690 une âme mauvaise, dépourvue de sagesse et sans maîtrise de soi. Calliclès m'a donné son accord sur ce point aussi : une âme sage fait ce qu'il convient à l'égard des hommes et des dieux. C'est cela qui en fait une personne *juste* et pieuse. De plus, le sage est *vaillant*, car il ne serait pas sage s'il cherchait à fuir son devoir. Sa vaillance s'accompagne donc de *fermeté* et de *patience*. En conséquence, l'homme sage est pourvu de justice, de piété, de 1695 vaillance. C'est un homme bien, dont la conduite est bonne et belle, et il mérite la prospérité et le bonheur. Au contraire, celui dont la conduite est mauvaise ne peut être que malheureux. Or, c'est celui-là que tu vantais tout à l'heure, Calliclès ! Celui qui ne cherche que le plaisir !

En somme, voilà comment je conçois ces choses et j'affirme que c'est la vérité. Celui qui 1700 souhaite être heureux doit rechercher la sagesse et la pratiquer. Il doit fuir le manque de modération à toute vitesse. Et si un jour ou l'autre, il a besoin d'être corrigé parce qu'il a abusé, eh bien ! qu'il accepte son châtiment, si c'est le bonheur qu'il désire.

Voilà le but vers lequel nos yeux doivent être tournés et vers lequel il faut tendre de toutes nos forces. Quand je dis « nos » forces, j'entends chacun pour soi et l'ensemble des 1705 citoyens. C'est la seule façon de rendre plus présents la justice, la sagesse et le bonheur.

Mais si on se laisse aller sans contraintes à ses désirs, on s'en va vers une vie de rapines et d'un insondable mal.

---

158. *Pourquoi Calliclès refuse-t-il de poursuivre la discussion ?*
159. Métaphysique : « au-delà » de la physique ; réflexion abstraite sur l'être au-delà du monde sensible.

Ce mode de vie n'est apprécié ni des hommes ni des dieux et il empêche de participer à la vie de la communauté, et sans communauté il n'y a pas non plus d'amitié.

1710 Les disciples de Pythagore[160] [508] affirment que le ciel et la terre, les dieux et les hommes sont liés les uns aux autres par une sorte d'harmonie globale faite d'amitié, d'ordre, de sagesse, d'esprit de justice. C'est pour cette raison qu'ils donnent à la réalité le nom de *cosmos*[161] – c'est-à-dire « organisation ». Ils ne l'ont pas appelée *chaos* ou désordre !

Toi qui es savant, tu sembles peu attentif à ces considérations. Il t'a échappé que l'égalité

1715 mathématique est un grand concept pour les dieux aussi bien que pour les hommes. Mais tu es indifférent aux mathématiques. À présent, ou on réfute la thèse que c'est la justice et la sagesse qui rendent heureux les bons et malheureux les immoraux, ou on ne la réfute pas et il faut en examiner les conséquences.

La première conséquence est la dénonciation de toute injustice. Sur ce point, tu m'as

1720 demandé si je parlais sérieusement. En effet, s'il est pire de commettre l'injustice que de la subir, nous avons l'obligation d'accuser le coupable aussi bien nous-mêmes, qu'un ami, que son fils, et c'est là le seul usage de la rhétorique. Ainsi, pour se dire orateur, il faut être juste et avoir connaissance de ce qui l'est.

SOCRATE POSE SA THÈSE ET MONTRE L'ENCHAÎNEMENT DES MAUX

Mais revenons à tes reproches ; tu disais que j'étais incapable de me débrouiller, de

1725 m'occuper de moi et de mes proches, bref que je pourrais tomber à la merci de n'importe quels voleurs, agresseurs violents, tueurs. Or, ta thèse est que c'est subir l'injustice qui est le plus déshonorant. Ma thèse à moi soutient au contraire que ce qui est le plus déshonorant et plus mal, c'est de frapper injustement quelqu'un – même soi-même. Ce qui est le plus mal, c'est voler ou réduire quelqu'un en esclavage à son profit. Commettre

1730 un mal, un méfait contre une personne ou contre des biens, est toujours plus déshonorant que d'être victime.

[509] Ces vérités, apparues dans notre discussion, sont reliées les unes aux autres par des chaînes de fer et d'acier. J'emploie ces termes énergiques, car il te faudra encore plus de force si tu veux briser ces liens logiques et si tu veux tenir un discours convenable et

1735 différent du mien. Je ne sais pas si c'est la vérité absolue, mais tous les discours différents du mien que j'ai entendus étaient risibles. Voilà donc ce que je pense. La seule chose qui soit pire que commettre l'injustice est de ne pas en être puni. En conséquence, je ne vois pas pourquoi je serais incapable de m'occuper de moi-même, comme tu le prétends, Calliclès ! Au contraire ! Il n'y a rien de plus laid que de ne pas se secourir soi-même, ou

1740 ses proches si on est coupable. En est-il bien ainsi, Calliclès ?

---

160. Philosophe et mathématicien, Pythagore (ve siècle av. J.-C.) et ses disciples eurent une influence considérable sur le développement de la philosophie de la nature, notamment des notions de nombres, d'ordre et de proportions.

161. Il n'y a pas de rupture entre la nature, la morale et la politique : la nature est ordonnée, car elle obéit à des lois ; la vie personnelle doit aussi être ordonnée, de même que la vie de l'État.

CALLICLÈS. Oui, c'est ainsi.

SOCRATE. Alors si le pire est de commettre l'injustice et que la subir est un moindre mal, que peut-on faire pour s'aider ? Comment éviter de commettre le mal et comment se préserver d'en être victime ? Peut-on le *pouvoir* ou le *vouloir* ? Je m'explique : est-ce
1745 qu'il suffit de ne pas *vouloir* être victime pour se protéger ? Ou bien faut-il pour cela avoir développé un certain *pouvoir* ?

CALLICLÈS. De toute évidence, il faut un tel pouvoir.

SOCRATE. Et au sujet de l'injustice ? Est-ce que *vouloir* ne pas la commettre suffit à l'éviter ? Ou bien faut-il avoir un certain pouvoir, sans lequel on pourrait prétendre
1750 qu'on l'a commise par ignorance ou par manque d'expérience ?
Tout à l'heure, Pôlos et moi avons convenu que si quelqu'un commet l'injustice, ce n'est jamais délibérément. Personne ne peut *vouloir être injuste* et, quand on l'est, c'est sans le vouloir[162]. Mais toi, Calliclès, tu as refusé de te prononcer sur ce point.

CALLICLÈS. Prends-le comme tu voudras, mais achève ! [510]

1755 SOCRATE. Eh bien ! Il est vraisemblable que nous devions acquérir ce pouvoir pour apprendre à éviter de commettre l'injustice.

CALLICLÈS. Hé ! Absolument.

SOCRATE. Mais, quelle habileté peut nous aider à éviter l'injustice autant que possible ? À mon avis, la voici et examine si tu la conçois comme moi : il faut avoir du pouvoir dans
1760 l'État : soit comme tyran, soit comme membre du gouvernement.

CALLICLÈS. Je m'empresse de te donner mon accord ! Ce que tu viens de dire est tout à fait juste !

SOCRATE. Regarde donc si la suite est encore de ton goût : au sens des anciens Sages, l'amitié se produit entre semblables. Le penses-tu toi aussi ?

1765 CALLICLÈS. Oui.

SOCRATE. Donc, si le pouvoir est aux mains d'un tyran sauvage et sans culture et que dans le peuple il y a des gens qui ont plus de valeur que lui, le tyran aura peur d'eux et ne les aimera pas.

CALLICLÈS. C'est exact.

1770 SOCRATE. Il n'aura pas d'amitié pour quelqu'un d'inférieur à lui et il le méprisera.

CALLICLÈS. C'est encore vrai.

SOCRATE. Le tyran n'aimera que ceux qui ont le même caractère que lui, ceux qui louent et blâment les mêmes choses que lui, ceux qui le flattent et rampent. C'est ainsi qu'il augmentera sa puissance et que personne n'osera lui faire de tort. C'est bien ainsi
1775 que ça se passe ?

CALLICLÈS. Oui.

SOCRATE. Si un jeune homme souhaite devenir très puissant et inattaquable, c'est sans doute la voie qu'il va suivre. Dès la jeunesse, il s'accoutume à trouver du plaisir et de l'aversion pour les mêmes choses que le maître et il s'arrange pour lui ressembler le plus
1780 possible. C'est bien ainsi, non ?

162. L'injuste est aveuglé par ses désirs (« la tyrannie de ses passions ») ; ce n'est pas sa volonté qui le guide.

CALLICLÈS. Si !

SOCRATE. C'est ainsi que se répand votre conception, à Pôlos et à toi : ne pas souffrir et avoir beaucoup de pouvoir. Mais alors, il est impossible de ne pas commettre d'injustice, car pour ressembler au maître absolu, il faut, comme lui, commettre des méfaits et tout faire pour échapper au châtiment. N'est-ce pas la vérité ? [511] C'est ainsi que le mal pervertit son âme et la déshonore, pour le pouvoir[163].

CALLICLÈS. Je ne sais pas comment tu t'y prends, Socrate, pour toujours tourner sens dessus dessous tout ce qu'on te dit. Ne sais-tu pas que cet imitateur du tyran pourra tuer ceux qui sont dans l'opposition et qu'ensuite il s'emparera de leurs biens ?

SOCRATE. Je le sais fort bien, mon bon Calliclès ! Sinon, je serais sourd ! C'est sûr qu'il tuera les justes, mais c'est pour cela qu'il est méchant, et ses victimes, des gens beaux et bons.

CALLICLÈS. N'est-ce donc pas cela qui donne le plus motif à s'indigner ?

SOCRATE. Non. Pas si on réfléchit à ce que j'ai dit. Mais peut-être considères-tu que le devoir d'un homme, même injuste, est de vivre le plus longtemps possible et par conséquent qu'il doit maîtriser l'art oratoire pour se sauver des périls en toute circonstance[164] ?

CALLICLÈS. Oui, par Zeus ! C'est le conseil que je te donne !

CE QUI IMPORTE : NOTRE VALEUR –
ANALOGIE DU CAPITAINE ET DE L'INGÉNIEUR

SOCRATE. Excellent homme ! Dis-moi donc si tu estimes la natation.

CALLICLÈS. Non, par Zeus !

SOCRATE. C'est pourtant une connaissance qui sauve bien des gens de la mort ! Et la connaissance de la navigation l'est davantage, puisqu'elle sauve des vies et des biens. Pourtant, les marins ne se donnent pas l'air important. Ils ne demandent qu'un petit paiement au départ, un autre à l'arrivée, quand les passagers débarquent sains et saufs. Quand le bateau est amarré, le capitaine descend à terre et marche modestement le long du quai. Il ne se demande pas s'il était utile ou non de sauver des périls de la mer des passagers qui vaudraient mieux que d'autres. Il sait qu'il les a débarqués, ni plus ni moins bons qu'au départ. Il pourrait même penser : « Ce passager a une maladie incurable. C'est un malheur pour lui de ne pas avoir été noyé. [512] Non, je ne pouvais pas lui être utile. Cet autre a l'âme méchante et les tribunaux ne lui auraient pas laissé la vie sauve ; j'aurais bien pu le laisser se noyer dans la tempête. » C'est parce qu'il sait tout cela que le capitaine est humble et ne se vante pas d'avoir sauvé des vies[165]. Il en est de même pour l'ingénieur qui construit des machines de guerre, car parfois ce sont des villes entières qu'il sauve, alors que d'autres fois ce sont des mécréants dont il assure la sécurité.

---

163. En étant injuste, ce n'est pas seulement à autrui que nuit le méchant, mais à sa propre âme.
164. *Reconstituer l'argumentation de Socrate sous forme de discours argumentatif avec thèse, arguments, objections et conclusion.*
165. Le capitaine sait que son travail est « utilitaire » plus qu'utile (rendre meilleur).

S'il se vantait comme vous, les orateurs, vous seriez ensevelis par ses propos qui vous
1815 inviteraient à devenir ingénieur militaire. Toi, pendant ce temps, tu n'as que mépris pour
son art, tu le traiterais de mécanicien et tu refuserais la main de ta fille à son fils. En quoi
ton art judiciaire justifie-t-il ton mépris pour les autres[166]? Tu penses que tu vaux plus
qu'eux? Ne vois-tu pas qu'en dénigrant leur action ce sont tes blâmes qui sont risibles?
Ne vois-tu pas que ce qui est le plus noble c'est de sauver autrui? [513] Un homme digne
1820 de ce nom sait que nul n'échappe à son destin, comme le dit l'adage favori des femmes.
Il n'a pas de contrôle sur la durée de sa vie, mais il se préoccupe de la meilleure vie
possible dans le temps qui lui est imparti. Si son devoir est de participer au gouvernement
démocratique d'Athènes, il doit le faire par amitié pour le peuple et non pour devenir
puissant dans l'État.

1825 Si tu te figures, Calliclès, que quelqu'un peut t'aider à devenir très puissant en te commu-
niquant une technique, alors il y a incohérence entre ton action et la démocratie. C'est
un faux calcul! En effet, un vrai démocrate doit être sincère, il doit ressembler aux gens
du peuple et gagner leur amitié. Seul celui qui t'aura rendu semblable aux gens peut
t'apprendre à leur parler et à administrer l'État, car les gens n'aiment que ceux qui les
1830 comprennent et s'irritent de ce qui leur est étranger. Voilà mon cher…À moins que tu
n'en juges autrement?

LA CONCEPTION PLATONICIENNE DE LA POLITIQUE

CALLICLÈS. C'est bizarre, Socrate! Je ne sais pas pourquoi il me semble que tu as raison
et en même temps je ne te crois pas tout à fait.

SOCRATE. C'est parce que dans ton âme il y a de la résistance à aimer le peuple
1835 athénien. Si tu réfléchis davantage, tu en seras convaincu. Rappelle-toi la dualité des
soins qu'on peut donner à l'âme et au corps: on peut vivre uniquement pour le plaisir
ou on peut chercher à s'améliorer, sans complaisance, sans concession et avec énergie. La
première voie manque de noblesse et n'est que flatterie et séduction.

CALLICLÈS. Admettons, si tu y tiens.

1840 SOCRATE. La deuxième voie a pour but de donner les meilleurs soins au corps et à l'âme
pour qu'ils deviennent bons. Et d'un point de vue plus large, il faut donner à l'État les
citoyens les meilleurs possible. [514] Rien ne vaut la beauté morale des consciences;
surtout les consciences de ceux qui veulent être riches et de ceux qui veulent le pouvoir.
N'est-ce pas ainsi?

1845 CALLICLÈS. Oh que si! Si tu y tiens!

SOCRATE. Suppose, Calliclès, que nous soyons gens d'affaires, constructeurs, personnages
publics, n'aurions-nous pas intérêt à considérer exactement qui nous sommes, à tester
nos connaissances dans ces domaines et à chercher ceux qui pourraient nous les apprendre
mieux?

---

166. *Formuler la conclusion de cette analogie, en la considérant comme la leçon que Socrate donne à Calliclès.*

1850 CALLICLÈS. Hé! Absolument.

SOCRATE. Ne faudrait-il pas confier les travaux publics aux gens de bon jugement, à ceux qui ont déjà fait leurs preuves en produisant de belles œuvres, à ceux qui ont étudié l'art auprès de maîtres renommés pour en acquérir la maîtrise? En revanche, ne faudrait-il pas écarter des travaux d'intérêt public ceux qui n'ont rien produit de valable?

1855 CALLICLÈS. Hé! Absolument.

SOCRATE. C'est comme ça en tout: dans l'État, dans la médecine; il faudrait tous se soumettre les uns les autres à l'examen pour nous assurer que nous sommes qualifiés. «Voyons Socrate? Es-tu en bonne santé? As-tu déjà guéri quelqu'un?» Et: «Et toi, Calliclès? Qu'as-tu fait pour améliorer quelqu'un, dans son corps ou dans son âme?»

1860 N'est-il pas ridicule et insensé de confier les fonctions publiques à des incompétents[167]?

CALLICLÈS. C'est bien mon avis! [515]

SOCRATE. Alors, ô meilleur des hommes! Puisque tu t'occupes déjà des affaires de l'État et que tu me pousses à en faire autant, ne devons-nous pas nous soumettre mutuellement au contrôle de nos compétences[168]? Voyons: «Calliclès a-t-il rendu quelqu'un

1865 meilleur? A-t-il rendu bon un méchant ou un pervers, un débauché ou un homme déraisonnable?» Dis-moi, Calliclès, si on te faisait subir cet examen, que répondrais-tu?

CALLICLÈS. Tu es chicaneur, Socrate!

SOCRATE. Pas du tout! Ce n'est pas par esprit de chicane que je te questionne, mais parce que je veux savoir de quelle façon, selon toi, il faut administrer l'État. Si tu avais à

1870 t'occuper des affaires publiques, aurais-tu à cœur de travailler pour nous? De rendre les citoyens plus justes? Songe aux grands personnages que tu m'as cités tout à l'heure: Périclès, Cimon, Miltiade et Thémistocle. Penses-tu encore qu'ils ont été de bons citoyens?

CALLICLÈS. C'est encore mon opinion!

LES HOMMES D'ÉTAT REMPLISSENT-ILS LEUR MISSION?

SOCRATE. Tu veux dire que l'Assemblée qui écoutait Périclès, le grand orateur, était pire

1875 au début de ses premiers discours que les dernières fois qu'il parla[169]?

CALLICLÈS. Peut-être bien!

SOCRATE. Pas peut-être bien! Forcément! Du moins, s'il est vrai qu'il a été un bon citoyen!

CALLICLÈS. Et puis après?

1880 SOCRATE. Après? Mais rien du tout! Dis-moi seulement si Périclès a la réputation d'avoir rendu les gens d'Athènes meilleurs ou de les avoir corrompus? Pour ma part, j'ai entendu dire que sa loi pour rémunérer les fonctionnaires a rendu les Athéniens paresseux, lâches, bavards et cupides.

---

167. Pour Platon, l'État devrait être strictement organisé et ce sont les philosophes qui seraient dignes de le diriger. Il faudrait pour cela une solide éducation propre à développer les vertus (*La République*).
168. Se soumettre à la critique et à l'autocritique.
169. Le vrai «gardien» du peuple pourrait ignorer les techniques rhétoriques, mais saurait juger du bien et du mal.

CALLICLÈS. Ce sont les partisans de notre adversaire, Sparte, qui insinuent cela.

1885 SOCRATE. Bon! Alors, voici autre chose: ce n'est pas une rumeur, et tu le sais aussi bien que moi. Au début, Périclès était apprécié des Athéniens. Puis, à la fin de sa vie, après qu'il les ait rendus meilleurs, [516] ils lui ont fait un procès pour corruption et il s'est fallu de peu qu'il soit condamné à mort!

CALLICLÈS. Est-ce que cela suffit pour affirmer que Périclès ne valait rien de bon?

1890 SOCRATE. Écoute bien Calliclès! Si on confiait des animaux à dresser à un ânier ou à un palefrenier pour leur apprendre à ne pas ruer, ni à mordre et qu'à la fin ils soient redevenus plus sauvages qu'avant, on ne jugerait sûrement pas qu'ils ont fait du bon travail, tu ne crois pas?

CALLICLÈS. Mais si, bien sûr! Mais je le dis pour être aimable avec toi!

1895 SOCRATE. S'il te plaît, sois encore aimable! Périclès, qui était un grand homme d'État, c'était bien des hommes dont il avait la charge? Son action devait donc les rendre plus justes. Or les justes sont paisibles, comme le déclarait Homère[170]. Es-tu d'accord?

CALLICLÈS. Oui.

SOCRATE. Pourtant, les hommes dont Périclès avait la charge sont devenus plus
1900 sauvages qu'ils n'étaient, puisqu'ils se sont retournés contre lui. Ce n'était sûrement pas le résultat qu'il visait!

S'il les a rendus plus sauvages, c'est qu'ils ont empiré et sont devenus plus injustes… Ce qui fait que Périclès n'aurait aucune valeur comme chef d'État. Mais prenons tes autres exemples: Cimon, qui a été banni, puis Thémistocle, qui a été condamné à l'exil[171].
1905 Quant à Miltiade, vainqueur de Marathon, il aurait été jeté au fond d'un gouffre si le président de l'Assemblée ne s'y était opposé. Si ces hommes avaient eu autant de valeur que tu le dis, jamais cela n'aurait été leur sort[172].

CALLICLÈS. D'accord.

SOCRATE. Tu vois bien que les propos que nous tenions tout à l'heure étaient
1910 véridiques. [517] On ne peut pas trouver un seul homme de valeur parmi les puissants, même parmi ceux du passé. Ils ne valent pas plus que les contemporains, du moins les orateurs qui ne font que des discours flatteurs et démagogiques.

CALLICLÈS. Tu diras ce que tu voudras Socrate, mais parmi les contemporains pas un n'a réalisé une œuvre d'une telle qualité.

1915 SOCRATE. Divin Calliclès! Loin de moi l'idée de les blâmer, surtout si en étant au service de l'État ils lui ont procuré plus de bien qu'ils n'en convoitaient. Ces grands hommes du passé ne différaient en rien des contemporains, quand ils refusaient la démagogie et visaient à améliorer leurs concitoyens, car c'est là le rôle d'un bon chef[173]. Mais, n'y a-t-il pas quelque chose de risible dans notre entretien? Il me semble que nous tournons en

---

170. Homère (IVᵉ siècle av. J.-C.), premier poète dont l'œuvre ait survécu. Les épopées l'*Iliade* (récit de la guerre de Troie) et l'*Odyssée* (récit des aventures d'Ulysse) ont eu et ont encore une influence considérable sur l'imagination dans l'art et la littérature. Appris par cœur, les 27 800 vers constituaient les archives vivantes, mais pas nécessairement historiques, des origines des peuples, des héros et des dieux; ils offraient une représentation de l'ordre du monde – que les philosophes présocratiques et les sophistes ont remise en question.

171. Cet exil (ostracisme) voté par les citoyens servait à écarter les personnages dont l'ambition ou l'influence menaçaient la Cité.

172. La condamnation de ces grands orateurs est la preuve qu'ils n'ont pas utilisé la rhétorique au service de la justice.

173. Toute rhétorique n'est donc pas forcément mauvaise.

1920 rond, sans nous entendre. Les producteurs, les commerçants, les boulangers, les cuisiniers, les tisserands, voilà plein de gens qui sont convaincus d'être seuls en charge du bien du corps [518]. Mais en réalité, ce sont la gymnastique et la médecine qui sont les arts suprêmes des soins corporels, car elles ont la *science* de ce qui est bon ou mauvais ; ce que les autres ignorent.

1925 Parlons aussi de l'âme. Par moment, j'ai l'impression que tu me comprends, mais peu après, tu me dis que la Cité a besoin d'hommes accomplis et tu cites Théarion, le boulanger, ou Mithécos qui a écrit un ouvrage sur la cuisine sicilienne ou encore Sarambos qui tient un bar !

Toi-même tu serais sûrement fâché si je te tenais ce discours : « Tu n'y connais rien en
1930 gymnastique, bonhomme ! Les exemples que tu prends sont ceux de gens qui s'occupent de satisfaire nos désirs, mais qui ne connaissent rien au Bien. Ils font grossir leurs clients, bien que ces derniers fassent leur éloge, car il ne leur vient pas à l'idée de critiquer ceux qui les régalent et qui sont responsables de leurs maladies et de la perte de leur vitalité. Si quelqu'un s'avise de les avertir que leur goinfrerie présente sera la cause de leurs
1935 malaises futurs, ils se retourneront contre lui et continueront à glorifier ceux qui leur nuisent. »

Voilà ! C'est exactement ce que tu fais ! Tu glorifies des hommes qui ont enrichi les Athéniens et tu dis qu'ils ont fait la grandeur de la Cité. Mais toute cette richesse cache une gangrène morale. [519] Le jour où la maladie éclatera, on ne verra même pas que
1940 ceux dont on chante la gloire en sont la cause et que les gens comme toi y ont contribué[174].

SUR L'ÉDUCATION : LES POLITIQUES
COMME LES SOPHISTES SONT PARADOXAUX

Mais ce que j'entends de plus insensé concerne les vieux chefs d'État, qui, lorsqu'on les critique, disent : « Après tous les services que j'ai rendus à l'État, voilà qu'on veut injustement ma perte ! » Voilà un discours mensonger d'un bout à l'autre et qui pourrait être celui d'un *sophiste*. Les sophistes[175] sont, par ailleurs, des gens fort savants, mais il
1945 leur arrive d'accuser leurs élèves de se conduire injustement avec eux en ne payant pas leurs leçons à leur juste valeur. Peut-on trouver plus irrationnel ? Si les élèves sont devenus justes après avoir reçu leurs leçons, comment peuvent-ils se conduire injustement ? Ne trouves-tu pas cela déconcertant, Calliclès ? Mais voilà que j'ai fait l'orateur de place publique, puisque tu ne me répondais pas !

1950 CALLICLÈS. Mais quoi ? Tu n'es pas capable de parler s'il n'y a pas quelqu'un pour te répondre ?

SOCRATE. Ma foi ! On dirait bien que oui ! Mais toi, mon bon, au nom du Zeus de l'Amitié, dis-moi : ne trouves-tu pas incohérent de reprocher sa méchanceté à quelqu'un qu'on est supposé avoir rendu bon ?

---

174. A*ppliquer ces propos de Socrate à des exemples concrets de la vie contemporaine.*
175. L'importance prise par les sophistes est politique ; ils éduquent à la démocratie des orateurs brillants, mais sans scrupules.

1955 CALLICLÈS. D'accord!

SOCRATE. As-tu déjà entendu des éducateurs tenir un tel langage? [520]

CALLICLÈS. Ma foi oui! Mais à quoi bon parler de ces gens qui ne comptent pas?

SOCRATE. Et toi, pourquoi parler de ces hommes d'État qui promettent d'améliorer la Cité et qui, ensuite, l'accusent d'être injuste? Est-ce si différent? Non, bienheureux ami!

1960 Le sophiste et l'orateur sont voisins l'un de l'autre. Mais toi, par ignorance, tu considères l'art oratoire comme absolument beau et tu méprises les sophistes. Pourtant, ces derniers devraient être mieux considérés, car ils enseignent, alors que les orateurs ne font qu'inventer des lois pour parer aux problèmes. D'ailleurs, ne sont-ils pas tous incohérents de faire des reproches à ceux qu'ils éduquent? C'est comme s'ils s'accusaient eux-mêmes de

1965 leur inutilité[176]! N'est-ce pas ainsi?

CALLICLÈS. Hé! Absolument.

SOCRATE. Je vais plus loin: ce sont aussi les seuls qui peuvent être bienfaisants sans attendre de rémunération! Prenons un contre-exemple: si le maître de gymnastique m'a enseigné à courir vite, il pourrait être frustré s'il est mal payé, car il m'a délivré de ma

1970 lenteur. Mais c'est le contraire si on fait profession de délivrer les élèves de leur injustice[177]! Si on a le pouvoir de rendre bon quelqu'un, on ne devrait jamais être déçu d'avoir été bon avec lui, ni avoir aucune attente! N'en est-il pas ainsi[178]?

CALLICLÈS. D'accord!

SOCRATE. Il n'y a rien de déshonorant à recevoir de l'argent pour des conseils: pour

1975 construire une maison, par exemple. Mais c'est déshonorant de refuser des conseils gratuits à quelqu'un qui veut mieux administrer sa maison ou mieux remplir son rôle de citoyen[179]. Est-ce vrai?

CALLICLÈS. Oui.

SOCRATE. La raison en est claire: si quelqu'un s'améliore, il va forcément être bienfaisant

1980 envers celui qui l'a bien conseillé; les deux bénéficient réciproquement de leur bonté. [521] Mais revenons au conseil pour aider les citoyens à devenir meilleurs: faut-il se battre contre leurs défauts, comme un médecin se battrait contre la maladie, ou faut-il tout faire pour leur plaire? Dis-moi la vérité Calliclès, avec ton franc-parler!

CALLICLÈS. Eh bien, je dis qu'il faut leur plaire!

1985 SOCRATE. Tu m'invites donc à les flatter? À les séduire? Et si je m'y refuse, ne me sors pas ton discours comme quoi je ne saurais pas me défendre, si un méchant voulait me dépouiller[180].

---

176. La démocratie fait surgir des orateurs qui flattent et trompent la foule, et cette dernière, instable, admire et envie les puissants qu'elle condamne ensuite.

177. L'objectif de la conception platonicienne de l'éducation est un processus d'harmonisation des désirs et de la raison. Apprendre, c'est acquérir du savoir vrai et c'est pourquoi l'éducation est morale et intellectuelle. *Cette conception de l'éducation serait-elle encore valable de nos jours?*

178. *Relire les paragraphes précédents et mettre en lumière les qualités idéales des chefs d'État et expliquer pourquoi la réalité est tout autre, selon Platon.*

179. Ce bref échange cache un débat propre à l'époque de Platon, mais aussi à la nôtre où les réformes de l'éducation sont continuelles: *quelle est la fonction actuelle de l'éducation et quelle y est la fonction de la philosophie? Le contenu de l'éducation est-il une « marchandise » ou un accès à des valeurs éternelles, comme le pense Socrate?*

180. *À notre époque, comment se protéger des rhétoriques commerciale et politique?*

SOCRATE ASSUME LES CONSÉQUENCES DE SES THÈSES

CALLICLÈS. Tu es bien naïf, Socrate! Tu crois que rien de mauvais ne t'arrivera jamais. Tu ne vis pas sur une île déserte et, un jour, un misérable pourrait te traîner injustement
1990 devant un tribunal!

SOCRATE. Je serais fou si je me figurais que de pareilles aventures ne peuvent pas arriver dans une ville comme la nôtre! Par contre, ce que je sais fort bien, c'est que si jamais je me trouve un jour assigné à comparaître au tribunal, ce sera à cause de quelqu'un de malfaisant, car aucun brave homme n'accuse celui qui ne commet pas d'injustice. Je ne
1995 serais même pas étonné qu'on me condamne à mort! Veux-tu que je te dise pourquoi?

CALLICLÈS. Hé! Absolument.

SOCRATE. Avec quelques Athéniens – car je ne suis pas le seul – je me consacre à la politique, c'est-à-dire aux affaires publiques. Quand je parle, ce n'est pas pour plaire, mais pour enseigner ce qu'il y a de mieux. Je ne cherche ni à faire des finesses, ni à faire
2000 plaisir et c'est pourquoi, devant le tribunal, je ne saurais pas me défendre[181]. Mon discours est toujours le même que celui que je tenais à Pôlos. Je serai jugé comme un médecin, accusé par un cuisinier, devant un tribunal d'enfants. Imagine l'acte d'accusation: « Enfants! Voici un homme qui vous fait des misères! [522] Il vous coupe, vous brûle, vous dessèche, vous donne à boire des liquides amers, vous force à avoir faim
2005 et soif, alors que moi, je vous régalais de douceurs variées! » Que pourrait répliquer le médecin? La vérité? « Tout ça mes enfants, je le faisais pour votre santé! » Ne crois-tu pas qu'il serait accueilli par des violentes protestations[182]?

CALLICLÈS. Peut-être bien!

SOCRATE. C'est, sans nul doute, dans une telle situation que je me retrouverais, à la
2010 barre du tribunal. Je ne pourrais pas plaider que j'ai procuré du plaisir aux gens, bien que ce soit la seule chose qu'ils trouvent utile; alors, on m'accusera de gâter les jeunes et de blesser les plus vieux, parce que je leur tiens de durs propos, en public comme en privé. Je serais mal placé pour dire la vérité: « La vérité est que je m'occupe de vos affaires en vous exhortant à vous améliorer. » Personne ne me croira, alors je subirai mon sort,
2015 quel qu'il soit.

CALLICLÈS. Toi, tu trouves que c'est une belle attitude pour un homme d'être impuissant à se défendre?

SOCRATE. Oui, c'est une belle attitude! Mais il faut respecter une unique condition: c'est que cet homme n'ait rien fait d'injuste, ni à l'égard des hommes, ni à l'égard des
2020 dieux, et toi-même tu étais tombé d'accord sur ce point. C'est la seule défense valable. En revanche, ce qui me ferait vraiment honte, ce serait d'être incapable de prouver que je n'ai pas fait d'injustice. Si c'était le cas, je serais vraiment en colère d'être condamné à

---

181. La mort de Socrate fut éminemment philosophique, car elle illustre l'opposition entre la vie de sagesse idéale et la politique telle qu'elle se pratique. D'où l'urgence de réformer l'éducation à la citoyenneté et à l'exercice des fonctions de chef d'État pour surmonter la rupture éthique et politique. Sinon, en démocratie le peuple est berné et il apprend à se moquer du pouvoir, et dans une tyrannie, il a peur.

182. Cette leçon a été amorcée dans le paragraphe « Deux paires d'arts correspondent à l'âme et au corps ».

mort. Au contraire, si j'étais condamné faute de savoir flatter, tu verrais avec quelle sérénité je supporterais la mort !

2025 Personne n'a vraiment peur de mourir à moins de manquer totalement de réflexion et de virilité.

Ce qui fait peur, c'est d'agir injustement, car mourir, pour une âme méchante, c'est le pire de tous les maux. Si tu veux, je peux te l'expliquer en te racontant une histoire[183].

CALLICLÈS. Eh bien ! Puisque tu as mené ta démonstration à terme, finis donc aussi ce
2030 chapitre ! [523]

LE MYTHE DU JUGEMENT DES MORTS

SOCRATE. L'histoire que je vais te raconter m'enseigne des vérités, mais toi, tu vas peut-être penser que ce n'est qu'une fable[184]. Voici ce que raconte Homère, son auteur :

Le dieu Cronos[185] partagea le pouvoir entre ses trois fils, Zeus, Poséidon et Pluton. Or, au temps de Cronos, il y avait une loi qui concernait les hommes et qui s'applique encore
2035 chez les dieux. Cette loi prescrit que, si un homme a vécu dans la justice et la piété, quand il a fini ses jours, il va habiter les îles des Bienheureux[186], où il séjourne dans la béatitude, exempté de tout mal. Mais si un homme a vécu dans l'injustice et l'impiété, il doit aller dans la prison où se paient toutes les peines, le Tartare[187]. Au début du règne de Zeus, c'étaient des vivants qui jugeaient ceux qui allaient trépasser, juste avant leur dernier
2040 souffle. Mais ils rendaient de mauvais jugements, aussi Pluton et les administrateurs des îles des Bienheureux allèrent se plaindre à Zeus qu'ils voyaient arriver dans leur royaume des gens qui ne l'avaient pas mérité. Zeus tint alors ce langage :

« Eh bien ! Je vais y mettre un terme. Si les sentences sont mauvaises, c'est que les gens qu'on juge sont tout habillés. De leur vivant, les âmes mauvaises sont revêtues de beaux
2045 corps, de célébrité, de richesses. Le jour du jugement, il arrive quantité de témoins qui affirment qu'ils ont eu une vie juste. Les juges se laissent éblouir, car eux aussi ont l'âme masquée par un écran fait d'yeux, d'oreilles et de l'ensemble du corps. La première chose à faire cesser est la connaissance que les hommes ont de leur propre mort. Alors, Prométhée a prescrit que les hommes ne doivent pas prévoir leur mort. La seconde chose
2050 est qu'ils doivent être mis à nu pour être jugés. Le juge aussi devra être mort et nu. Seule une âme peut être spectatrice d'une autre âme, dans sa solitude, à l'instant du trépas.

---

183. L'ensemble de ce paragraphe évoque le procès de Socrate, où, accusé injustement, il fut condamné à mort.

184. Historiquement, le mythe est reconnu comme outil de formation du sentiment d'appartenance. Par contraste, le développement de la rationalité favorise l'émergence du sujet pensant et du sentiment d'individualité. Le récit mythique est destiné à marquer l'esprit, à l'éduquer. Le mythe du jugement des morts, placé à la fin du dialogue, signifie que le sujet n'est pas clos et qu'il faut continuer la réflexion.

185. Le passage du pouvoir de Cronos à Zeus marque la fin de l'« âge d'or », soit la jeunesse de l'humanité.

186. Les îles des Bienheureux, situées parmi les astres, sont le séjour des héros, des poètes et des philosophes où le temps est sacralisé (sans oubli), où l'existence est merveilleuse, sans maux et sans fin. La mémoire des hommes leur confère la gloire éternelle, l'immortalité et ainsi ils participent à l'essence divine.

187. « Situé » sous le volcan Etna ou aux portes les plus septentrionales du monde, il est le lieu le plus profond de l'Hadès (l'Enfer) où sont emprisonnés les ennemis des dieux et les pécheurs.

Pour que la justice soit rendue, il faut que le mort soit séparé de sa parenté et de tout ce qu'il possédait sur terre. Mes fils, Minos, Rhadamanthe [524] et Éaque, seront les juges des trépassés, dit Zeus. Leur tribunal sera au carrefour des chemins qui vont d'un côté vers les Îles des Bienheureux, et de l'autre vers le Tartare. Rhadamanthe jugera les morts qui viennent d'Asie, Éaque, ceux qui viennent d'Europe. Minos tranchera les cas litigieux pour que la décision finale soit la plus juste possible. »

Voilà le récit auquel j'ai trouvé de la vérité. J'ai trouvé l'idée que la mort n'est que la rupture du lien qui unit le corps et l'âme. Une fois ce lien défait, chaque partie va selon la manière d'être qu'elle avait quand elles étaient unies. Le cadavre a les caractères du corps vivant, grand ou petit, les cheveux longs ou courts, les cicatrices, les membres déformés ; bref, le cadavre témoigne, pendant un certain temps, de la condition du corps et du soin qu'on lui aura donné.

Pour l'âme, il en va à peu près de même. Une fois mise à nu, elle révèle tout ce que la personne a été : sa nature, ses sentiments, la manière dont elle s'est acquittée de ce qu'elle avait à faire.

Arrivée devant le juge, il la regarde sans savoir à qui elle appartenait. L'âme du Grand Roi ou celle d'un souverain pourra apparaître toute striée de cicatrices et de coups de fouet [525] marqués par les parjures et l'iniquité. Il y voit les déformations laissées par le mensonge et l'imposture, toutes les déviations à l'égard de la vérité. Il y voit aussi les défauts laissés par les excès de puissance, la démesure, l'incapacité à se dominer… Autant de disharmonie et de laideur. Alors, le juge envoie l'âme à la maison de détention où elle subira les épreuves qui conviennent.

Une punition doit améliorer celui qui la subit, sinon elle doit servir d'exemple. Du point de vue des dieux, les fautes qui ne sont pas incurables indiquent que l'âme peut s'améliorer. Mais seules les souffrances, ici sur terre ou dans l'Hadès, peuvent la débarrasser de l'injustice. Quant aux âmes incurables, celles qui ont poussé l'injustice au dernier degré, elles subiront un châtiment exemplaire dans une éternité d'épreuves douloureuses et redoutables ; elles ne gagneront rien de leur peine, mais les autres pourront en tirer une leçon.

Parmi les pires âmes, il y a les gens comme Archélaos, dont nous parlait Pôlos et les tyrans de son espèce. Je pense même que c'est parmi les rois, les princes et tous ceux qui se sont occupés des affaires de l'État qu'on trouve le plus d'âmes qui méritent un châtiment exemplaire. Cela est dû au pouvoir absolu qui les pousse à commettre les fautes les plus graves et les plus impies. C'est d'ailleurs ce que raconte Homère, qui dit que ceux qui demeurent dans l'Hadès pour l'éternité sont des souverains. Aucun poète n'a raconté que les méchants « ordinaires », les simples particuliers aient été soumis aux châtiments exemplaires et éternels ; en effet, ils n'avaient pas le pouvoir de commettre des crimes inexpiables et c'est pourquoi j'affirme qu'ils ont été plus heureux que ceux qui ont détenu un grand pouvoir. De fait, c'est dans les rangs des puissants qu'on trouve les hommes qui ont été les plus mauvais [526]. Il y en a eu des bons aussi, et cela est digne d'admiration et mérite l'éloge, car c'est très difficile de passer toute sa vie comme un homme juste si on a été investi d'un pouvoir immense. Mais ces grands hommes justes sont rares. Il y en a eu, comme Aristide, le fils de Lysimaque, et il y en aura encore, mais j'affirme que la plupart des hommes de pouvoir finissent par devenir méchants.

C'est pourquoi la légende des morts dit que Rhadamante, ayant vu qu'une âme était mauvaise à son entrée au royaume des morts, l'envoie au Tartare après l'avoir marquée du signe « curable » ou « incurable ». Mais s'il voit arriver une âme qui a vécu pieusement et dans la vérité, en particulier celle d'un philosophe qui a fait ce qu'il avait à faire ici bas, au lieu d'être un touche-à-tout, il l'envoie aux îles des Bienheureux. Éaque fait la même chose et Minos observe les jugements, tenant à la main son sceptre d'or.

Alors, Calliclès, comme j'ai foi en cette histoire, je m'apprête à présenter mon âme au juge, dans son meilleur état possible. Je dis bonsoir à tout ce que la plupart des hommes honorent. En vérité, je m'efforce à être le meilleur que je peux et c'est à cela aussi que j'exhorte ceux qui m'écoutent. Alors, tu vois, au rebours de ce que tu me disais tantôt, je crois que c'est toi, et non moi, qui sera incapable de se porter assistance à soi-même, au dernier jour. [527] Au jour de ton procès, c'est toi qui seras bouche bée devant le juge, comme moi je resterais bouche bée devant un juge d'ici bas. C'est toi qu'on frappera de façon honteuse sur la joue et qui recevras des outrages[188].

ÉPILOGUE

Si tu penses que cela n'est qu'une fable de vieille bonne femme, cela n'aurait rien de surprenant! Pourtant, vous trois, Pôlos, Gorgias et toi, Calliclès, vous êtes les plus grands savants vivants actuels de la Grèce et vous n'êtes pas capables de prouver qu'il faut vivre autrement au regard de la mort. Au contraire, après que toutes les thèses aient été réfutées, la seule qui reste préconise de prendre davantage garde de commettre l'injustice que de subir l'injustice, non pas pour éviter sa peine, mais pour vivre en paix et en harmonie. Il faut se soucier avant tout d'*être* un homme de bien; pas seulement de le *paraître*, en privé et en public. Si d'une façon ou d'une autre on a mal agi, il faut être corrigé, puis s'efforcer de devenir plus juste. Il faut fuir la flatterie, aussi bien celle qu'on nous adresse que celle qu'on adresse aux autres. La rhétorique et les beaux discours ne doivent servir qu'à la justice.

Laisse-toi convaincre, Calliclès, car c'est ainsi que tu seras heureux, pendant ta vie et après la mort. Laisse les gens te prendre pour un insensé; laisse-les t'outrager, s'il leur plaît. Par Zeus! Aie même le courage de recevoir des coups ignominieux; ce ne sera rien, si tu subis ce qui t'arrive avec courage et vertu.

Ce n'est qu'après avoir développé nos qualités que nous pourrons nous occuper de politique, selon nos aptitudes. En effet, je trouve honteux que des gens qui changent d'idées constamment, faute d'éducation, se mettent à discourir comme des petits fats sur

---

188. *Peut-on considérer le mythe du jugement des morts comme un discours argumentatif?*

des choses de grande importance. Gardons comme guide de vie l'exercice de la justice, de la vérité et des autres vertus. Quant à la règle à laquelle tu fais confiance, Calliclès, et **2130** à laquelle tu m'invites, celle-là, elle ne vaut rien[189].

---

189. *Le mythe du jugement des morts a-t-il une fonction sociale ou une fonction religieuse? Justifier votre réponse. Le cinéma offre un grand nombre d'œuvres dont la fonction mythique et les leçons de morale sont analogues au récit de Platon : en faire l'objet d'une recherche.*

Bibliographie

OUVRAGES GÉNÉRAUX

CLÉMENT, Élisabeth, et coll., *Pratique de la philosophie de A à Z*, Paris, Hatier, 1994.

KUNZMANN, Peter, Franz-Peter BURKARD et Franz WIEDMANN, *Atlas de la philosophie*, Paris, Le livre de poche, « La Pochotèque », 1993.

RUSS, Jacqueline, *Dictionnaire de philosophie*, Paris, Bordas, 1991.

SUR SOCRATE, PLATON ET SON ŒUVRE[190]

Quelques dialogues de Platon utiles pour l'étude du *Gorgias*: *Protagoras*, *La République*, *Apologie de Socrate*, *Le Banquet*.

BRISSON, Luc, et Jean-François PRADEAU, *Le vocabulaire de Platon*, Paris, Ellipses/édition marketing, 1998.

CHÂTELET, François, *Platon*, Paris, Gallimard, « Folio », 1965.

DIOGÈNE LAERCE, *Vie, doctrine et sentences des philosophes illustres*, vol. 1, trad. de Robert Genaille, Paris, Garnier-Flammarion, 1965.

NIETZSCHE, Friedrich, *Le crépuscule des idoles*, Paris, Gallimard, « Folio », 1974.

PLATON, *Gorgias*, trad. de Léon Robin, dans *Œuvres complètes de Platon*, Paris, Gallimard, « La Pléiade », 1950.

PLATON, *Gorgias*, trad. de Monique Canto, Paris, Garnier-Flammarion, 1993.

SAUVAGE, Micheline, *Socrate et la conscience de l'homme*, Paris, Seuil, 1957.

VERGELY, Bertrand, *Platon*, Toulouse, Éd. Milan, « Les essentiels », 1995.

XÉNOPHON, *Les mémorables*, Paris, Hatier, 1963.

190. Cette bibliographie n'offre qu'un aperçu de la somme gigantesque d'ouvrages magistraux sur Socrate et Platon, notamment les thèmes et les méthodes déployés dans l'œuvre de ce dernier.

SUR LA PHILOSOPHIE ANTIQUE ET SON CONTEXTE

ARENDT, Hannah, *Condition de l'homme moderne*, Paris, Calmann-Lévy, « Pocket », 1963.

HADOT, Pierre, *Qu'est-ce que la philosophie antique ?*, Paris, Gallimard, « Folio », 1995.

RUSS, Jacqueline, *Histoire de la philosophie. De Socrate à Foucault*, Paris, Hatier, « Profil 736-737 », 1985.

SUR LES MYTHES

DROZ, Geneviève, *Les mythes platoniciens*, Paris, Seuil, « Points », 1992.

DRUON, Maurice, *Les mémoires de Zeus*, Paris, Hachette, 1963.

POUR ACTUALISER LA LECTURE DU *GORGIAS*

CHOMSKY, Noam, *Propagande, médias et démocratie*, Montréal, Écosociété, 2004.

DEBORD, Guy, *La société du spectacle*, Paris, Gallimard, « Folio », 1971, chap. II, III et VIII.

McLUHAN, Marshall, *Pour comprendre les médias*, Montréal, HMH, 1968.